SO-BIV-100

NO TE CALLES

No te calles
Seis relatos contra el odio

Primera edición: junio de 2018

D. R. © 2018, Andrea Compton
D.R. © 2018, Chris Pueyo
D. R. © 2018, Javier Ruescas
D.R. © 2018, Benito Taibo
D.R. © 2018, Fa Orozco
D.R. © 2018, Sara Fratini

D. R. © 2018, derechos de edición mundiales en lengua castellana:
Penguin Random House Grupo Editorial, S. A. de C. V.
Blvd. Miguel de Cervantes Saavedra núm. 301, 1er piso,
colonia Granada, delegación Miguel Hidalgo, C. P. 11520,
Ciudad de México

www.megustaleer.mx

D. R. © 2018 Sara Fratini, por las ilustraciones

Penguin Random House Grupo Editorial apoya la protección del *copyright*.
El *copyright* estimula la creatividad, defiende la diversidad en el ámbito de las ideas y el conocimiento,
promueve la libre expresión y favorece una cultura viva. Gracias por comprar una edición autorizada
de este libro y por respetar las leyes del Derecho de Autor y *copyright*. Al hacerlo está respaldando a los autores
y permitiendo que PRHGE continúe publicando libros para todos los lectores.

Queda prohibido bajo las sanciones establecidas por las leyes escanear, reproducir total o parcialmente esta
obra por cualquier medio o procedimiento así como la distribución de ejemplares
mediante alquiler o préstamo público sin previa autorización.
Si necesita fotocopiar o escanear algún fragmento de esta obra diríjase a CemPro
(Centro Mexicano de Protección y Fomento de los Derechos de Autor, http://www.cempro.com.mx).

ISBN: 978-607-31-6738-3

Impreso en México – *Printed in Mexico*

El papel utilizado para la impresión de este libro ha sido fabricado a partir de madera procedente
de bosques y plantaciones gestionadas con los más altos estándares ambientales, garantizando
una explotación de los recursos sostenible con el medio ambiente y beneficiosa para las personas.

Penguin
Random House
Grupo Editorial

ANDREA COMPTON · CHRIS PUEYO
JAVIER RUESCAS · BENITO TAIBO
FA OROZCO · SARA FRATINI

NO TE CALLES

ROUND LAKE AREA
LIBRARY
906 HART ROAD
ROUND LAKE, IL 60073
(847) 546-7060

seis relatos contra el odio

Coordinación: Fa Orozco y Javier Ruescas

NUBE **DE TINTA**

ROUND LAKE AREA
LIBRARY
906 HART ROAD
ROUND LAKE, IL 60073
(847) 546-7060

Carta a una (mejor) amiga

ANDREA COMPTON

Querida Inés:

Aquí está tu carta. Una carta como aquellas que nos mandábamos entre clase y clase, de las que escribíamos con bolígrafos de múltiples colores y que luego doblábamos en formas imposibles para esconderlas en la mochila de la otra y encontrarlas al llegar a casa e ir a hacer los deberes.

Supongo que hoy día las cartas no tienen mucho sentido, ¿no? Con la inmediatez de los whatsapps, las posibilidades de los emails… ¿O quizá sí? Igual ahora más que nunca es evidente el valor que las nuevas tecnologías no han podido arrebatarle a este formato. No sé.

Sea como fuere, aquí estoy, escribiéndote una carta como las de antes. Con sus tachones ocultos bajo una capa de típex, mi más que cuestionable caligrafía, y mi ¿pura? ¿incauta? total sinceridad. Porque si no se hace con sinceridad, ¿para qué escribir? ¿Para qué escribirte?

Conociéndote como te conozco, seguro que lo primero que te estarás preguntando es: ¿esto va en serio? ¿Por qué no me llama para quedar y me lo cuenta en persona? ¿Por qué se molesta en escribir, con lo que le cuesta?

Pues mira, porque quiero hacerlo así y punto.

Por eso y porque las cosas importantes creo que se tienen que escribir. Porque como dijo Gabriel García Márquez: "El escritor escribe su libro para explicarse a sí mismo lo que no se puede explicar". Así que aquí estoy, tratando de explicarme, de explicarnos, cómo el mundo puede ser un poco mejor, un poco más brillante, si tenemos cerca a la persona adecuada.

Y también porque, en el fondo, lo que en realidad me apetece es gritarle a los cuatro vientos lo importante que ha sido para mí encontrarte, y esta manera me parece menos molesta para los vecinos, la verdad.

Tú me has demostrado lo mucho que puede cambiarte el mundo conocer a quienes de verdad quieren conocerte. Con tus cosas buenas y tus cosas no tan buenas. Y además, creo que hay muchas otras chicas que se sentirán como tú o como yo. Y si con esta carta-grito consigo que al menos una de ellas sonría, se acuerde de su mejor amiga y le escriba un whatsapp, un email o, ¡quién sabe!, igual hasta una carta, habrá merecido la pena este esfuerzo.

* * *

Inés, nos conocimos hace trece años, y desde hace trece años eres mi familia, mi mejor amiga. Hemos tenido nuestros roces y nuestros baches, como cualquier relación, pero que a día de hoy pueda seguir considerándote mi mejor amiga significa que el viaje no solo ha merecido la pena, sino que deseo que no termine nunca.

Si alguien me hubiera dicho con doce o trece años que acabaría conociendo a alguien tan imprescindible en mi vida como tú, ~~le habría mandado a freír espárragos~~ no me lo habría creído. Lo digo en serio. Igual era un poco pesimista o igual la vida hasta ese momento tampoco me había dado ninguna pista para pensar que algo pudiera cambiar. A esa edad, yo ya estaba convencida de que pasaría mi vida sola o, peor aún, rodeada de falsas amistades que no me valorarían ni me comprenderían, y con las que tendría que aprender a fingir ser quien no era.

Tú ya lo sabes, pero para quien no: mi vida hasta los catorce años transcurrió en una diminuta aldea de Guadalajara, de esas que apenas quedan y de las que nada se escucha, si no es en las noticias, para recordarnos que aún hay gente que vive sin cobertura de móvil o que se pasa los inviernos encerrada en su casa por culpa de la nieve. Un pueblito de poco más de diez habitantes y casas de pizarra, con lumbre en lugar de calefacción, huertos en vez de jardín, escaleras de mano de madera, y suelos cuyas tablas acabas conociendo por su manera de crujir. Un pueblo de los pocos que te recuerdan que los humanos seguimos siendo unos recién llegados a este planeta, porque está completamente rodeado de naturaleza, bosques, riachuelos, cascadas y montañas. ~~Un pueblo de cabras, básicamente.~~

Así que sí, en efecto: pasaba mucho tiempo sola. Algo que, en el fondo, tampoco me importaba. No necesitaba a otros niños para divertirme o para perderme por el campo, me gustaba mi pueblo; tenía mis cuadernos para dibujar, mis películas en VHS, alguna revista que de vez en cuando me compraba mi madre… tampoco pensaba que pudiera haber mucho más y no lo buscaba. ~~Me llamo Andrea, pero puedes llamarme Heidi.~~

Y en términos generales, así transcurrió mi vida hasta que empecé la Secundaria.

Para que te hagas una idea, el instituto se encontraba a dos horas de mi casa. Dos horas. Que ahora mismo tengo que hacer un trayecto de metro de más de cuarenta minutos y me parece una locura. Pues ahí estaba yo, con mis trece años, recorriéndome la sierra de Guadalajara para ir a clase. Piensa que en mi pueblo y en los de alrededor no había demasiados habitantes, mucho menos jóvenes, por lo que todas las chicas y chicos teníamos que viajar hasta el municipio más cercano para recibir clases. ¡Dos mil habitantes debía de tener aquel lugar, y ya me parecía una locura!

¿Estaba emocionada? ¿Tenía miedo? ¿Nervios? No lo recuerdo con claridad, pero conociéndome, probablemente diría que sí a todo. ¡Por fin conocería a gente de mi edad! Sería la primera vez que tendría que presentarme a más de diez chicos y chicas sin que supieran quién era mi madre o cuál era mi casa, porque en mi pueblo todos nos conocíamos y presentarse uno sin ser forastero estaba de más. Siempre eras o "la hija de", o "la nieta de", o "la de la casa de". Pero aquí no. Aquí tendría la oportunidad perfecta de ser quien quisiera ser, ~~aunque aún no tuviera ni idea de quién quería realmente ser.~~

Mis únicas referencias para esta nueva etapa las había robado de las revistas, las películas y mis series favoritas. Y estaba convencida de que no necesitaba nada más. De que estaba absolutamente preparada para lo que me echaran encima. De que, de hecho, tenía suficientes conocimientos sociales, no solo para sobrevivir, sino también para disfrutar.

¡Ay, amiga, qué equivocada estaba!

Tengo muy mala memoria, tú ya lo sabes, y la verdad es que tengo que hacer un esfuerzo importante para acordarme de cosas concretas de mi infancia y adolescencia, pero conservo un recuerdo bastante nítido del día en que todas mis ~~amigas~~ compañeras de clase se pusieron de acuerdo en difundir un rumor sobre mí y convirtieron sus palabras en armas contra las que yo no me sabía defender.

Te prometo que no hubo ninguna razón concreta para que me escogieran como víctima de sus ataques. Lo mismo, pienso ahora con algo de perspectiva ~~y con lo muchísimo que he aprendido en este tiempo~~, simplemente me crucé en el camino de quien necesita pisar a los demás para sentirse mejor consigo mismo; ya sabes, una de esas personas que para no tener que afrontar sus propios problemas, prefiere crearle otros a los demás. Ni idea.

Durante los primeros días hice una amiga. Se llamaba ▇▇▇▇. Tenía el pelo largo, moreno, y una sonrisa mellada pero agradable, y aunque era bastante diferente a mí, me parecía divertida y lo pasábamos bien cuando estábamos juntas. ~~O eso pensaba yo.~~

También conocí a otras chicas, pero de ellas ni siquiera recuerdo sus nombres. Y ahora que lo pienso, creo que la razón por la que recuerdo el de ███, precisamente, es por su traición más que por su amistad.

A los pocos meses de haber empezado las clases, le propuse que viniera a ver mi pueblo. Lo pasaba tan bien con ella que tenía ganas de que conociera mi casa, mi habitación, cómo la tenía decorada; enseñarle mis lugares favoritos de los alrededores, las cabañas en ruinas… no sé, y pudiéramos crear recuerdos diferentes a los que teníamos del instituto. Quería compartir esas cosas tan mías con ella. Me sentía como Lindsay Lohan en *Chicas malas*, ¿sabes? Llevaba años estudiando aislada, y al fin tenía una amiga con la que compartir mis raíces salvajes.

Total, que se lo dije ~~muchas~~ unas cuantas veces, pero ella siempre me daba largas. Decía que tenía que preguntarle a sus padres, que no sabía si le dejarían… De haberme ocurrido ahora, lo habría pillado a la primera: aunque a mí ella me cayera genial, la cosa no era recíproca y debería haber sabido cuándo parar. Pero entonces pensaba que aquello era amistad. Que eso era tener una buena amiga. De nuevo, ¡error!

Y así pasaron un par de semanas hasta que un día, al entrar en clase haciendo alguna de mis tonterías habituales, una de las otras chicas con las que me llevaba bien me agarró del brazo con fuerza y me llevó hasta las demás para interrogarme. Te prometo que me dolió más la manera en la que me miraban que cómo la chica esa me sujetaba de la muñeca, clavándome las uñas.

—¿Qué pasa? —preguntó, una vez se aseguró de que todas estaban pendientes—. Que dice Roci que quieres llevarla a tu pueblo, ¿eh? ¿Te gusta o qué? Te gustan las chicas, ¿no? ¿Eres lesbiana?

Te juro que nunca me había sentido tan vulnerable. Las chicas solo me miraban y sonreían, pero sus sonrisas parecían de hiena. La única que tenía puesta la mirada en el suelo mientras se sonrojaba era Rocío. Yo esperaba que la broma acabara pronto, que mi amiga saliera a defenderme, que aclarara que lo único que me apetecía era enseñarle mi pueblo. No estaba enamorada de ella. Y de haberlo estado, ¿quién se creía que era esa chica para burlarse de mí delante de todo el mundo?

Pero mi supuesta amiga se mantuvo callada, balanceando las piernas sobre el pupitre, sin abrir la boca y dejando que el resto se burlara de mí sin atreverse siquiera a mirarme a los ojos. De verdad: mi confusión era mayúscula. ¿Tan raro resultaba invitar a una amiga a casa sin querer pegarle un morreo? ¡Pero si teníamos doce años! ¡Ni siquiera me había planteado aún cómo sería besar a un chico!

Te lo digo en serio. Hubiera preferido que me lanzasen piedras o palos antes que aquello. Al menos a una pedrada sabía responder con otra, pero contra los rumores ¿qué se hace? Se desmienten, dirás. O se ignoran, como tú misma aprendiste. Pero, Inés, tú mejor que nadie sabes que no es tan fácil. Que sí, que la teoría es esa, desde luego. Pero de la teoría a la práctica hay un mundo, y en estos casos incluso un abismo.

Recuerdo que me fui a casa con un nudo en el estómago. Mi madre trató de consolarme con la mayor serenidad del mundo. Menos mal que la tengo. Bueno, que la tenemos, porque sabes que con ella siempre podemos contar todas. Me fascina lo fácil que parece cualquier problema cuando se lo cuento a mi madre. Tiene un don para tranquilizar y para colocar todo en perspectiva. Sus consejos siempre han sido los mejores y me han ayudado durante todos estos años a distinguir lo que es importante en la vida de lo que no.

Pues eso: hablé con ella y aquella conversación sí que fue como las de las películas que me gustaban. En las que una buena conversación entre madre e hija sirve de bálsamo para heridas que nada tienen que ver con piedras y palos. Creo que nunca se lo agradeceré lo suficiente.

Al día siguiente simplemente dejé de hablarme con las chicas. Pero no lo hice bajando la cabeza o haciéndoles creer que ellas habían ganado. En absoluto. Lo hice mirándolas a los ojos. Dejándoles claro que yo, ~~amigas~~ personas así, no quería en mi vida. Y que no las necesitaba para ser feliz.

¿Dolió? Sí, y mucho. Pero el dolor me hizo comprender que eso no era tener amigas. En el fondo les agradezco que demostraran su auténtica forma de pensar tan pronto. Así pude cambiar de grupo y conocer a gente que de verdad me entendía. Sí, eran los que todos calificaban de "raros", y aquello provocó que la gente guay del insti comenzara a dejarme notas en la mesa y dentro de la mochila. Notas en las que se burlaban de mi cuerpo, de los comentarios que hacía, de las respuestas que daba en clase… Debo confesar que ~~fue una mierda~~ no fue fácil. Y al final la situación pudo conmigo.

No daba ni palo al agua, me era imposible concentrarme. Las dos horas de trayecto hasta el instituto se convirtieron en un suplicio, y las dos horas de vuelta me las pasaba deseando llegar a mi pueblo y alejarme de toda esa gente. Cualquiera que haya sufrido acoso en sus carnes sabe a lo que me refiero. Tú más que nadie, amiga.

Así que, al final, opté por mudarme con mi padre a Madrid y dejar el pueblo atrás. Sabía que no sería fácil. Comenzar una vida nueva nunca lo es. Pero necesitaba empezar de cero.

Echaría muchísimo de menos a mi madre, a su pareja y a mi hermana pequeña, era consciente de ello. Pero sentía que no encajaba en esa vida por mucho que lo intentaba, y cada vez me sentía peor y más sola. Así que al final dije el "sí, quiero" a esta nueva oportunidad que me brindaba la suerte (y mi padre).

* * *

A Madrid llegué vestida de negro, con todos los complementos que había encontrado en la tienda Claires en el pelo y con un rollo muy emo. Era una carcasa, pero ellos no lo sabían. Nadie me conocía. Tenía otra oportunidad de hacerme pasar por alguien nuevo, y quizás esta vez acertase.

No te lo voy a negar, porque tú me conoces mejor que nadie: creo que una parte de mí quería asustar a la gente nueva. Quería que pensaran que era peligrosa, que mi alma torturada los dejaría fritos si osaban tan siquiera mirarme a los ojos, igual que el basilisco de Harry Potter. ~~Ella, la peligrosa.~~

Bromas aparte, había aprendido que queriendo ser amiga de todos y caer genial a todo el mundo no lograría nada. En el anterior instituto me había quedado claro que cuanto más abierta fuera, más expuesta y vulnerable me encontraría frente a los ataques. Y ya había tenido suficientes por una temporada, gracias.

Con un nudo en la garganta y calaveras en el pelo, entré el primer día en ese instituto protegida por una falsa seguridad que ni de lejos sentía. Y entonces te vi a ti, Inés. Recuerdo perfectamente que estabas en la puerta. Llevabas una camiseta de Los Ramones (grupo que en su momento todos pensábamos que era español y como la versión heavy de Los Chichos), unos pantalones verdes con una mariposa y unas zapatillas desgastadas. Tu rollo alternativo me fascinó desde el minuto cero, pero no podía dejar que lo notaras. La nueva Andrea debía ir con cuidado. Pero entonces, sin razón aparente, te acercaste a saludarme.

No sé por qué, pero me viste. Literalmente, te fijaste en mí más allá del maquillaje, la ropa y las pulseras. ~~Creo~~ Estoy convencida de que ~~mi vida entera~~ mi primer día hubiera sido muy distinto si no hubieras venido a rescatarme de mí misma aquella mañana.

Ahora bien, si he de ser justa, tengo que decir que me asusté un poco cuando, sin venir a cuento, te lanzaste a mis brazos pegando un grito, emocionada por conocer a alguien nuevo. Pero el susto se convirtió inmediatamente en alegría y comprendí que no eras la típica ~~chica~~ persona, y que contigo las apariencias no servían para nada. Que eras capaz de calar a alguien de un vistazo y que la sinceridad era lo que más valorabas.

* * *

Me acuerdo de que me hiciste un tour por el instituto como si nos conociésemos de toda la vida y me estuvieras enseñando tu casa. De cada espacio me contaste una anécdota, un truco o un consejo para ponerme al día de todo lo que ya sabría de haber comenzado allí la secundaria. Y lo que más gracia me hizo fue que no me dijiste tu nombre hasta el final de la visita.

—Me llamo Inés y esta es tu clase —añadiste, señalándome el aula hasta la que me habías acompañado—. Yo voy a la de al lado, ¡nos vemos a la salida!

No era una pregunta, era una certeza. Y no te imaginas cómo de segura me ~~haces~~ hiciste sentir ~~siempre~~ en aquel momento.

Con el paso de los días me convencía aún más de que eras la persona más auténtica y sin complejos que había conocido. Me costaba creer que una persona tan fuerte, tan alegre, tan enérgica, con cero complejos, pudiera existir. Que siempre tuvieras tiempo para mí entre las recogidas de firmas para combatir injusticias y causas perdidas; entre huelgas y reivindicaciones.

No descubrí hasta un tiempo después el secreto que tan celosamente tratabas de ocultar tras aquella forma de ser. O más bien, el secreto que otros te habían obligado a cargar de forma tan injusta.

Al mes de haber empezado las clases, una compañera me preguntó sin ocultar su gesto de desagrado que por qué me llevaba con la "guarra". Imagínate mi cara al escuchar aquello. ¿La guarra? Conocía a poca gente en el insti, y te juro que en ningún momento hubiera imaginado que se refería a ti.

—Sí, la Inés esa. La guarra —repitió, para que no hubiera dudas.

Era obvio que debías tener tu historia en el centro porque no solía verte con más amigos, pero simplemente había dado por hecho que no te apetecía gastar tu tiempo más que con unos pocos elegidos.

En seguida me lo contó todo. Y lo hizo con un ansia, con una emoción, con un gusto que solo le faltaba relamerse y comenzar a salivar. Y yo, horrorizada, la dejé hablar hasta que terminó.

Contar aquí lo que me dijo no hace falta. Porque eso no es relevante para nadie. Y si alguien que lea esta carta busca ese tipo de morbo, siento decepcionarle porque no lo va a encontrar. ~~Lo siento.~~ No lo siento.

La cuestión es que ese día descubrí que eras una víctima más del ~~puto~~ bullying.

Que detrás de ese carácter se ocultaba una chica con fuerza, que luchaba pese a las heridas y al miedo. Como yo.

Cometiste un error: confiaste en quien no debías. En un chico que solo quiso aprovecharse de ti. Un chico que se encargó de que todo el instituto supiese lo que habíais hecho para que tú pasaras de ser la víctima a ser la humillada. Te escribían insultos y mensajes en la pizarra, te dejaban notas cargadas de un odio injustificado, te señalaban y se burlaban de ti por los pasillos… Un curso entero de ataques que aún hoy me quema, porque pienso que ojalá te hubiera conocido entonces y te hubiera podido defender como tú has hecho conmigo tantas veces.

¿Y a él qué le pasó?, se preguntará alguno. Nada. Absolutamente nada. Él salió de rositas de todo aquel berenjenal (como casi siempre ellos salen de rositas). Probablemente, para aquel chico solo fue una broma más. Una tontería de nada, de las de hija, tampoco te pongas así, no es para tanto, menudo carácter… Ya sabéis. De esas. ~~Qué gilipollas.~~

Pero aun así, a pesar de todo lo que sufriste, aún te quedaba energía cada mañana para intentar arreglar este mundo, que a veces es precioso, pero otras parece que está bien podrido. Y con tu manera de ser, tu desparpajo y tu alegría habías logrado ocultármelo todo ese tiempo, aunque las señales estuvieran delante de mí. Imagino que lo hiciste para protegerte y tener por fin una amiga que no te conociera por eso. En cualquier caso, lo entendí perfectamente.

Dejé de hablarme con aquella chica, y por supuesto que a ti no se me ocurrió preguntarte jamás sobre el tema. Fuiste tú la que un día me contaste toda la historia. Y por desgracia, ni siquiera para aquello te dieron oportunidad de elegir el momento.

Sucedió en el recreo, ¿te acuerdas? Alguien pasó por nuestro lado y te hizo una burla. Y, ay, amiga, no me pude controlar. Me lancé a por esa persona como una auténtica pandillera. La perseguí por todo el patio, amenazándole con el par de guantazos que pensaba arrearle como lo pillara. Y no era broma. Le salvó que me interceptara el profesor de música en mitad de la carrera. Me pidió que me calmara, porque por la vida una no podía ir así. En el fondo tenía razón, e hice lo que me pedía. Después de aquello a ti no te quedó más remedio que contarme lo que había ocurrido un año atrás.

Tras aquel ~~enfrentamiento~~ carrerón por el patio, conocimos a nuestro mejor amigo, Gonzalo, e hicimos piña. Desde aquel día seríamos los tres contra el mundo. A nuestra bola. Riéndonos por todo y descubriendo quiénes éramos y quiénes queríamos llegar a ser. Juntos.

* * *

Al año siguiente nos pusieron a los tres en la misma clase y, sin duda, fue el curso del que mejor recuerdo tengo y el que más veces repetiría. La manera en la que nos apoyamos y nos ayudamos… Fue increíble. Pasamos todo el tiempo juntos, dentro y fuera de clase. Y cuando no podíamos vernos, redes como el MSN Messenger, el Tuenti o el Fotolog, con los textos de amor que nos dedicábamos cada día, nos daban la vida.

Creamos canales de YouTube, grabamos chorradas, cantamos, hicimos series de baja calidad, aprendimos a tomar fotos y a editar vídeos en el Windows Movie Maker. Menudo trío éramos. E, Inés, ¿recuerdas el microcar que te compraron cuando cumpliste los 16 años? La de vueltas que dimos con él, yendo a visitar a tu abuela, recorriendo nuestro barrio y alrededores montados en ese cacharro, creyéndonos los más chulos del mundo. Como si pudiéramos volar con ese carricoche.

Celebramos los dieciocho años de Gonzalo, el primero de los tres en cumplir la mayoría de edad, llevándole por sorpresa a Benidorm. Que para quien no lo sepa, Benidorm a esa edad viene a ser ~~casi~~ como Las Vegas. Aún recuerdo las risas mientras metíamos toda su ropa en bolsas de basura y le bajábamos ~~secuestrado~~ a ciegas hasta el coche, un Citroën del año de Matusalén que costó 500 euros e iba a dos por hora. No te equivocabas cuando le gritabas que aquel sería uno de los mejores días de su vida, y es que no teníamos dinero más que para estar allí una sola noche. Y para volvernos, claro. Inés, tía, te acuerdas, incluso compramos una sombrilla de bebé, porque no teníamos para una sombrilla normal.

Recuerdo tantos y tan buenos capítulos a vuestro lado… Sé que la gente que me sigue en el canal igual está cansada de escuchar mis historias con vosotros, pero porque no saben cómo nos salvamos los unos a los otros. Nos encontramos en el momento justo: todos salíamos de amistades o situaciones donde nos habían hecho mucho daño: a mí por el peso; a ti, Inés, por ejercer tu libertad; y a Gonzalo por su sexualidad. Entre nosotros nos curamos las heridas.

Qué absurdo, sufrir por ser quien eres, ¿no?

No puedo enumerar la cantidad de cosas que me enseñasteis, lo fuerte que me hacéis sentir, ni lo libre y protegida que me encuentro siempre a vuestro lado.

¿Quién me iba a decir la primera vez que te abalanzaste sobre mí para saludarme que te convertirías en uno de mis principales pilares en la vida?

Así que, Inés, esta carta es para darte las gracias. Siempre me las das tú a mí, siempre me escribes cartas y me las lees en alto, y ya es hora de hacerlo yo. Porque tú me salvaste, yo te salvé, nos salvamos. Porque a veces nos callamos mensajes de amor que pueden iluminarle el día a quienes tenemos cerca.

Gracias por aparecer ese día en la puerta del instituto, gracias por ayudarme con mis dramas familiares, por llevarme a merendar tortitas todas las tardes, por ayudarme con mis proyectos sin futuro, por pedirme ayuda cuando la has necesitado, por brindármela cuando la he necesitado yo, por venirte a vivir a casa a los 18 y a los 20, por dejarme vivir en la tuya a los 23, por plantarle cara a quien yo no era capaz de enfrentarme, por cambiar mi llanto por alegría, por abrazarme, por mimarme y por estar a mi lado estos trece años.

Ojalá te hubiese conocido antes, ojalá hubiésemos jugado juntas a las muñecas y a los coches, ojalá hubiera podido compartir contigo la Game Boy Color, ojalá nos hubiésemos caído juntas de la bici cuando aprendíamos a montar y ojalá hubiese estado a tu lado en aquellas tardes en las que estuviste sola en esa casa. Te prometo que te hubiera dado la mano y te hubiera dicho que tuvieses paciencia, que Gonzalo y yo seríamos la mejor familia del mundo.

No te mentiré porque me conoces de sobra: tuve miedo cuando era adolescente, tuve pensamientos muy negativos sobre mi vida y no sabía si algún día encontraría personas con las que compartir mi mundo. Por suerte, me atreví a buscar más allá, incluso a mirar en la dirección opuesta a la señalada para encontraros a vosotros. Da igual la edad a la que conozcas a las personas que te acompañarán el resto de tu vida, te aseguro que aparecerán y serán para siempre.

Y tú, Inés, o tú que lees esta carta, no tengas miedo de rechazar a quien te hace daño, a separarte de quien te obliga a ser otra persona, a reivindicar tus ideales aunque no sean los mismos que los de los demás, y a gritar lo que quieres y lo que no.

Y no te calles.

La vida es demasiado corta como para vivirla al lado de gente que no disfruta compartiéndola.

Te quiero mucho, Inés ❤ (y a ti también, Gonzalo),

Andrea

Imagínate a Marina

CHRIS PUEYO

La Chica Naranja

Marina es naranja.

Ella misma me lo dijo un día: La amistad es naranja.

Y si la amistad es naranja, Marina también lo es.

Pero Marina no solamente es naranja.

Además es una chica, que nació chica. XX.

Como ella dice, no tiene pito. Ni quiere.

Empezaron a crecerle las tetas como a los 11 años.

Nunca mucho, eso sí. Es de lo único que Marina no tiene mucho.

Porque por otro lado tiene mucho de inteligente. De feliz.

Incluso de guapa.

Ojos de huerto y cuerpo delgado. Casi pequeña.

Marina es una chica en un cuerpo de chica que se siente cómoda con su nombre de chica y con su color naranja.

A pesar de que en su bautizo el cura le preguntara a sus padres: *¿Cómo se llama el niño?*

Se ha pasado todo el instituto justificando que sea una chica.

No me preguntes por qué, yo tampoco lo entiendo. Pero debe de tener algo que ver con lo de sus tetas. Y con eso de que odia el maquillaje. Y que su mejor antiojeras es dormir. Alucina un poco con esas personas que son capaces de ir perfectamente vestidas, bien maquilladas, desayunadas y llegar a tiempo al autobús de las siete.

Ni siquiera se maquilló para la graduación.
Odia las faldas. Por mucho que aquel centro se empeñara en vestirnos, uniformarnos y mostrarnos como niños de escaparate en orlas, panfletos y páginas webs para un colegio pijo con pasillos de baldosas amarillas.
La verdad es que lo del uniforme era una mierda.
Así que Marina venía en chándal.
Que también era del colegio pero bastante más cómodo.

Me gustaba mucho que era una chica que nunca levantaba la voz, nunca le hacía falta.
Y aprobaba todas y te ayudaba a aprobar todas.
Las esquinas de su mesa eran el A, B, C, del *listening*.
Yo me sentaba casi a su lado y ella colocaba la mano en el sitio correcto para ayudarme después de cada respuesta.
La punta del boli hacia arriba era *true*, hacia abajo *false*.
Nunca contestaba pero decía lo que todos queríamos decir y los profesores no querían escuchar. Así que molaba mucho que una chica que huía de la guerra haciendo desaparecer las armas, atacara vistiéndose como quería. Diciendo lo que pensaba, siendo mujer sin necesidad de demostrarlo.
Sin tetas. Ni maquillaje. Ni faldas. Valkiria.

Su pelo era un moño de tiras rizadas donde descansaban los pájaros de la imaginación.

A veces he pensado que son los pájaros que anidaban sobre ella quienes le chivaban las cosas y ella hacía y deshacía.

Decía o creaba.

Os juro que no se soltó el pelo en años.

Y cuando se lo soltó no se lo soltó, se lo cortó.

Y entonces parecía Momo.

Y me gustaba verla caminar como quien moldea el mundo con sus propias zapatillas.

Y descarté la estúpida idea de los pájaros.

Su magia estaba dentro, no encima.

Y de momento hasta aquí.

Te toca: imagínate a Marina.

Es una chica naranja, inteligente, feliz y guapa.

En chándal te será más sencillo. Como si fuera un dibujo a medio terminar en clase de matemáticas. Con el pelo recogido. O corto. En un colegio pijo. En un pueblo pequeño. Hace unos diez años. Siendo una niña.

Ya está.

¿La tienes?

Porque si la tienes ahora solo queda su historia.

O mejor dicho, las partes de su historia en las que Marina me dejó estar a su lado.

Empezamos.

El reloj de pulsera

A mí me gusta creer que nuestra historia empezó antes de conocernos.

No recuerdo cuándo hablamos por primera vez.

Sé que fue, como ya te habrás imaginado, en el colegio.

En un pueblo, como ya os he dicho, pequeño. Lleno de parques y rotondas. Con mucho tiempo libre y poca gente con quien compartirlo.

Nos conocimos antes de saberlo porque cuando vi su cara, ya me sonaba. Como una de esas canciones de los noventa que tarareas porque ya la habías escuchado pero no sabes de quién es.

Nos cruzábamos por la calle, esperábamos juntos en la cola del estanco para comprar sellos e íbamos al mismo súper a comprar cosas distintas.

Seguro que ella compraba mucho mango. Zanahoria y zumos. Zumos naranjas como ella, porque me gusta imaginármela así antes de conocerla.

Y yo, puré de patatas y varitas de pescado. Y pan, leche y Pringles.

Y esto no me hace falta imaginármelo porque todavía soy igual.

Teníamos amigos en común, y hacíamos lo mismo que todos los niños de once años en pueblos pequeños:
Salir con los de la urba, escuchar música, madrugar, ir a la piscina, reír, llorar, montar en bici, perder bicis, caernos de la bici, comprarnos bicis nuevas...
Pintar. Pintar con rotuladores, pintar con témperas, pintar con boli, pintar en clase, pintar camisetas, paredes, zapatillas.
Pintar con cosas que no son para pintar.
Pintábamos bastante.
Mancharnos.
Y salir al campo. También salíamos mucho al campo porque es un pueblo rodeado de nada y árboles y piedras enormes y hay hueco suficiente para imaginar cosas grandes.
Además está lleno de ramas para que cada uno coja la suya e imagine lo que quiere ser.
Y lanzar chispas rojas al cielo cuando alguien necesite ayuda.

Marina ha entrado y salido muchas veces de mi vida sin darme cuenta. Desde mi infancia, hasta ayer mismo. Que vino a casa con Pablo, Pepe y Laura y jugamos a decirnos las cosas que nos gustaban de nosotros entonces y lo que nos gusta ahora.
Todos nos conocimos en el colegio, y aunque esta es la historia de Marina, sería muy injusto no decir que, en parte, también fue la suya. La nuestra.
Diez años dan para mucho.

La conocí seriamente cuando hicieron un colegio nuevo. Sus padres y mi abuela pensaron que lo mejor para nuestro futuro sería el uniforme. Nosotros no. Íbamos a sexto. Nos pusieron en la misma clase. Y nos sentamos casi juntos. Ella delante, yo detrás. Todavía guardo ese recorte en mi imaginación y me emociona encontrarla tan pequeña.
No imaginaba todavía que algún día escribiría sobre ella.

Marina es una de esas fotos que haces con mucha ilusión y cuando llegas a casa pinchas en el corcho.
Pasa el tiempo y aunque habéis cambiado eres incapaz de verlo. Luego. haces una mudanza y guardas la foto en una caja, y cuando la vuelves a sacar de la caja la vuelves a colgar. Y así hasta que cambias de casa diez veces.
Y un buen día, abres un cajón, miras debajo de la cama, y entre los años te encuentras a Marina. Abrigada hasta las cejas. Con un bocadillo de jamón con tomate y llena de polvo.

Cuando entramos por primera vez a ese colegio le pregunté la hora porque ninguno de los dos teníamos amigos. Porque soy malo para eso de las excusas. Y porque no sabía leer la hora. Bueno sí, pero solo en los relojes digitales. Así que se dio la vuelta, miró su reloj de pulsera, gris, profundamente feo y estropeado. ¡Ni siquiera daba la hora! Se encogió de hombros y escuché su voz por primera vez:

—No sé.

Así que nunca supimos la hora.
Pero sí nuestros nombres.
Probablemente compartimos merienda.
Y hablamos de Harry Potter.
Y mi vida se cruzó con la suya.
Y decidimos no crecer nunca.

Y Marina fue lo mejor que hice en ese colegio.

Un pulpo y un mono
en un avión

El día que le pedí la hora no fue el día en que Marina y yo nos convertimos en amigos. Pero fue el día en que quise conocerla.

¿Cuál sería su comida favorita?, ¿a qué le tendría miedo?, ¿por qué parecía un chico? O ¿qué le pedía a Los Reyes? Pero sobre todo… ¿Batman o Superman?

Y fui haciéndome con las respuestas, no vayas a creer.
Yo siempre tengo muchas preguntas, y con ella fue fácil porque no tiene dobleces y a mí las personas me gustan así. Terminé viéndola despertar, enfadarse, gritar, ser tonta, hacer trampas o dejarme sin palabras. Y eso me provocó quererla.

Descubrí que cenaba berenjenas rellenas, que tocaba el piano y que ella no le escribía la carta a Los Reyes.
Que prefería escribírsela a Robin Hood y pedirle un perro (aunque un perro no es un regalo) y llamarlo Batman o algo así.

Lo segundo que pediría es que le trajeran lo primero que había pedido (eso es algo que a *Los Reyes* y probablemente a Robin se les olvidaba mucho).

Y después un balón de fútbol. Témperas. O un juego de mesa. Y que no le gustaría mucho que le trajeran el tocador de *La Señorita Pepis*.

También que viniera corriendo o en tirolina.

Nada de camellos. Que el platito de las galletas lo dejara en el fregadero y que cerrara al salir.

Que la gente pudiera votar cada vez más cosas.

Que la palabra frontera está para saltarla.

Y que, además de pedir, dejaría bajo el árbol todo lo que ella ya no quería, porque siempre ha sido más de dar.

Que él dejara sacos de monedas clavados con una flecha en aquellas casas que no tuvieran puerta.

Y que en vez del seis de enero se pasara el uno o el dos, que pilla mejor porque si no apenas tenemos un par de días para disfrutar de los regalos antes de volver a clase.

Por último, pediría las herramientas necesarias para cambiar un poco el mundo, para que el mundo en el que vivimos no creyera que ella era un chico y yo una chica.

Marina le tiene miedo al olvido y por eso este libro no es más que una luz que coloco sobre su hombro para que nadie pueda olvidarla.

Y a volar.

También le tiene mucho miedo a volar.

—¿Por qué te da miedo volar? —le pregunté un día mientras ella dibujaba con la lengua entre los dientes.
—Porque no tenemos alas.
—¿Y qué?
—Pues que si no tenemos alas igual es porque no tenemos que volar —entonces siguió dibujando un rato y me dijo—: ¿Los pulpos vuelan?
—No.
—¡Claro, porque no tienen alas!
—¡Pero no somos pulpos!
—Bueno. Pero ¿y los monos vuelan?
—Los que no tienen alas, no.
Reímos.
—Eso es.
—Pero tenemos aviones.
—Ya. Pero ¿qué pasaría si metes a un mono y a un pulpo en un avión?

Marina terminó lo que estaba dibujando y vi a ese par de animales a bordo. Dándose la mano y el tentáculo. Con el cinturón de seguridad y mirándose atemorizados.
Ahí la entendí un poco.
Si metieses a La Chica Naranja en un avión no se quedaría sin oxígeno. Ni se pondría tan agresiva como un pulpo o un mono.
Pero tendría tanto miedo como cualquiera de los dos.

Las personas que se ríen
por nada

Una vez leí esto:

La cura para todo es siempre agua salada:
El mar, sudor o lágrimas.

Y no solo es lo más bello sino que además es una gran verdad.
Si sobrevive al tiempo, es bueno. Y esto fue dicho antes incluso de que Marina y yo naciéramos.
Gracias, Karen Blixen.

Os cuento esto porque solo hay una cosa que a Marina le gusta más que el deporte. *El Gran Azul.* O como diríamos el resto: el mar. Pero como somos de Madrid, el sudor nos pilla antes que el mar.

Nunca hicimos deporte. Al menos no a propósito.
Pero nunca dejamos de correr. Luchábamos mucho contra la idea de dejar de correr, porque creemos, fuertemente, que cuando alguien deja de correr, crece.

Hay gente que deja de jugar muy rápido.

Nosotros jugábamos corriendo.

No solo estábamos Marina y yo, claro. Éramos muchos. Éramos bastantes. Éramos los suficientes como para correr y hacernos con el patio. Jugamos hasta bachillerato a Rescate, o a Polis y a Cacos. Esto es como las normas del parchís: cada uno como vea que se entiende.

En realidad jugábamos a Ciervo.

Porque a nosotros no nos valía lo que ya existía, nos gustaba inventar lo que no. Así que La Chica Naranja y yo nos inventamos un juego donde hubiese que correr, para no crecer nunca. Y porque en Madrid no hay mar, y como no queríamos llorar, teníamos que curarnos de algún modo.

Nos inventamos Ciervo. Que en realidad es muy parecido a Rescate, solo que cuando dos cacos se juntan no pueden ser pillados. Esto venía a decir básicamente que la unión hace la fuerza. Y molaba. La verdad es que tenía muchas más posibilidades, porque el juego no solo contaba con la emoción de salvar a los cazados, sino de salvar a los que no. Marina y yo nos dimos la mano muchas veces para protegernos.

Aunque no siempre estuviéramos en el mismo equipo.

A nuestro profesor de Educación Física le gustó que fuéramos de los pocos niños que aprovechábamos el patio para correr. Y digo fuéramos, porque hubo un día en que paramos (no lo hagáis) y por lo tanto dejamos de ser niños durante los treinta sagrados minutos de recreo. Que entre que subes y bajas son veinticinco, todo hay que decirlo.

A Marina le caía bien el profesor de Educación Física.

Al resto no.

Aquel profesor daba miedo.

Nadie hablaba cuando él. Nadie se atrevía a decirle las cosas. Nadie rechistaba (al menos en voz alta) cuando decidía que no íbamos a hacer deporte. Que aquel día la clase sería teórica. Que no jugaríamos. Que no correríamos. Que estaríamos una hora en clase, sentados en el pupitre, haciéndonos mayores.

Hasta tuvimos que comprar un libro para Educación Física.

A veces, en vez de hacer equipos de voleibol, nos tocaba correr toda la hora alrededor del campo. *Test de Cooper*. O aprendíamos a estirar cuádriceps.

Odiaba aprender a estirar porque era muy aburrido. Aunque ahora entiendo, y mucho, que nos enseñara a estirar cuádriceps.

No sé. Siempre parece que las clases de Educación Física tienen que ser para evadirte un poco, ¿no?

Pues ya sé que no. Que nadie se ofenda. Pero éramos niños. Las clases de Educación Física sirven para mucho más.

Cuando aquel profesor entraba en clase, la llenaba de silencio. Escribía en la pizarra siempre con mayúsculas porque antes solo se acentuaban las minúsculas. Tenía la voz rota y un agujero en la ceja. Y cuando alguien hablaba, se reía o hacía las cosas que hacen los niños, te miraba y una puerta se cerraba de golpe.

—Pablo, ¿de qué te ríes?

Y entonces claro. Daba miedo y la respuesta era:

—De nada, de nada…
—¿Y tú sabes lo que son las personas que se ríen por nada?
—No… —contestó Pablo. Que bien podría haber sido Laura, Pepe o incluso yo.
—Payasos.

Nunca se me olvidará.
Aquella frase era una muletilla que usaba para que nos mantuviéramos callados y en silencio.
Nadie quería ser un payaso.
Ahora mismo me parece una tontería.
Con doce años y recién entradito en el instituto, no.
Y pasó el tiempo y hubo un día en que todos habíamos sido payasos alguna vez.
Tampoco se me olvidará que no hay nada más triste que te tengan miedo.

No teníamos móvil, y cuando lo tuvimos, mandar mensajes costaba dinero.

Así que cuando yo iba al colegio nos escribíamos notitas que soplábamos con fuerza y volaban de mesa en mesa cuando el profesor se daba la vuelta.

Así que escribí una notita que lancé hasta la mesa de Marina cuando el profesor estaba escribiendo en mayúsculas en la pizarra.

No me acuerdo de lo que escribí, pero La Chica Naranja lo leyó y sonrió. Grande. Lo suficiente como para que el profesor de Educación Física, cuyo nombre ni diré ni me inventaré, la mirase y un portazo sonara de repente.

—Marina, ¿de qué te ríes?
—De nada —contestó con miedo.

Guau.
Qué silencio.
Nadie sabía lo que estaba a punto de pasar, porque los profesores nunca se metían con Marina, así que todos nos quedamos entre asustados y expectantes.

—¿Y tú sabes lo que son las personas que se ríen por nada?
Marina le sonrió.
—Felices.

Que te escondas
y te encuentren

No os preocupéis, no pasó nada más.

Ese profesor era el más borde, pero buena gente en el fondo.

Solo que descubrí que necesitaba a Marina.

Un día me di cuenta de que se había convertido en mi mejor amiga. No recuerdo si era martes. Si hacía frío. Ni qué comida había en el comedor. Solo sé que dejamos de jugar a Ciervo para investigar misterios por el pueblo y dejó de hablarme cuando perdí su bici.

Marina y yo vivíamos en puntas opuestas del pueblo, y aunque no es muy grande, todavía teníamos las piernas muy pequeñas. Así que cuando se hizo de noche, la acompañé a su casa para estar el máximo tiempo posible con ella. Y para la vuelta, ella me dijo que me prestaba su bici.

Que la dejara anclada en la valla del colegio. Y que ya la cogería ella al día siguiente.

Vale, pues no la cogió porque desapareció.

La dejé allí, te lo prometo, pero alguien se la llevó.

Y como este libro se llama *No te calles*, aprovecho:

—Cabrón, casi jodes nuestra amistad.

Y como desapareció, Marina decidió enfadarse conmigo y yo pasé a tener la mitad de amigos.

La Chica Naranja dejó de hablarme. De mirarme. De sentarse en el borde de mi infancia para jugar a preguntas fantásticas. De elegirme para el autobús en las excursiones. Y de existir en general.

Fueron días raros. Así que decidí esconderme en los recreos en un rincón del colegio durante unas semanas.

Ya te he dicho que eran días raros.

Pero un buen día Marina encontró el rincón.

Me dijo que quería hablar conmigo.

Yo también quería hablar con ella.

Pero no hablamos nada.

Y al día siguiente volvimos a jugar a Ciervo.

No te calles

El instituto es ese lugar que te obliga a crecer por más que corras, no hay escapatoria.

Y no me parece algo del todo malo.

Cuando uno entiende que crecer solamente es hacerse más grande, crece.

Los mayores responsables de nuestro crecimiento forzado fueron los profesores, las notas y aquel pasillo de baldosas amarillas.

Lo único malo de Marina es que era un poco cobarde (hasta que dejó de serlo), y me daba rabia eso porque siempre tenía la llave. La fuerza de la palabra, que era todo lo que yo necesitaba, pero no sabía decir las cosas. Yo no era cobarde pero sí débil, así que hacíamos un buen tándem.

Como, por ejemplo, a la hora de despedirse. Marina no sabe decir adiós y es una cualidad un poco cutre. Creo que uno es capaz de dibujar un abrazo cuando sabe darlos. Parece una tontería, pero no. No es sencillo dibujar un abrazo. Ni mucho menos darlos.

Marina no sabía despedirse porque no sabía dibujar abrazos. Marina no sabía defenderse bien, porque una buena defensa, aunque no necesariamente implique un ataque, sigue siendo dar un golpe en la mesa. Y La Chica Naranja huye de los golpes.

Acertaba con los profesores.

Acertaba con las notas.

Acertaba en el pueblo.

Pero no terminó de acertar en los pasillos.

Yo no creo que se hayan metido con Marina ni la mitad que con otras personas del instituto, por ese sentimiento de dignidad que lleva alguien cuando camina y no sabes definir bien qué es.

Pero yo escuché, más de una vez, cómo la llamaban marimacho. Cómo era la lesbiana porque jugaba al fútbol. "Le gustan las tías", comentaban en la puerta de los vestuarios.

Nunca fue femenina, pero no me planteé seriamente la idea de que Marina fuera lesbiana hasta que no empezaron a decirlo de camino a los treinta (o mejor dicho, veinticinco) minutos de patio.

Que es a donde conducen los pasillos de baldosas amarillas.

En esos momentos empecé a mirar más a Marina.

Me parecía atractiva la idea de que mi mejor amiga se pareciera tanto a mí (y eso que yo todavía no sabía quién era).

Fui parte de esa macabra idea de relacionar *ser femenina* o no con tu identidad u orientación sexual.

Al día de hoy, sé algo importante: las mujeres no tienen por qué ser femeninas de igual manera que los hombres no tenemos por qué ser masculinos.

Y fin. Ya está. Es súper fácil.

Pero en aquel momento me encantaba la idea de que Marina pudiera ser lesbiana. Lo único malo es que nadie se lo había preguntado a ella.

Porque es lo que pasa a veces cuando una chica nunca lleva falda. Y juega a correr. Y siempre lleva el pelo recogido. Y no se escapa entre clase y clase al baño para retocarse el maquillaje.

Y es tan triste como saber que el mundo, especialmente el instituto, es ese terreno resbaladizo donde el odio recae sobre quienes somos sin miedo. A menudo normaliza patrones de desigualdad que nos hacen daño. Y ya no podemos hacer como que no nos damos cuenta, ¿eh, profes?

Ya lo he dicho. Bien clarito.

Sonó el timbre. Aquel día bajamos al patio a las once y media, como todos los días.

—Mariposón —me gritaban algunos, como ya he contado en otro libro. Pero esta no es mi historia.

Marina solía mirarme sin saber muy bien qué decir, porque era cobarde. Yo con el miedo clavado en la nuca intentaba no mirarla a ella porque me daba vergüenza.

Y seguíamos caminando.

Porque tocaba jugar a Ciervo.

Y eso era algo que nadie podría quitarnos.

—Oye, Christian, ¿qué tiene tu amigo entre las piernas?

—¡GILIPOLLAS!

Marina me miró.

Yo sonreí.

Y tocó volar.

Pasillo abajo, escaleras en picado.

Escapamos porque no teníamos la fuerza ni el valor suficiente en aquel momento para enfrentarnos al instituto. Pero ahora, después de unos cuantos años, fuera de esas paredes donde el mundo parece empezar y terminar al mismo tiempo, sí puedo decir una cosa:

No te calles. Las palabras no entienden de segundas oportunidades.

Casi en África

Y así pasaron cuatro años de instituto junto a La Chica Naranja.

Corrimos tanto que no nos vieron crecer.

Jugamos a Ciervo, aprobamos exámenes, suspendimos exámenes, fuimos en chándal, perdimos bicis y escapamos (casi siempre) por el pasillo de baldosas amarillas.

Tan rápido y tan despacio al mismo tiempo.

Hasta que llegó el viaje de fin de curso.

Tras mucho vender polvorones a pica-puerta por el pueblo, reunimos el dinero suficiente para marcharnos.

Al principio íbamos a ir a La Toscana.

Después decidimos que nos pillaba mejor Tenerife.

Aquellas tutorías fueron divertidas porque cada uno quería ir a un sitio diferente, pero ganó Tenerife.

Y menos mal, porque es una belleza, tanto o más que La Toscana.

A unos 2 015.8 kilómetros de aquí, casi en África, La Chica Naranja estaba llorando sobre una silla un poco cutre en la terraza del hotel.

Me senté a su lado y la escuché llorar.

Tenemos que ver llorar a las personas a las que amamos, porque sabiendo de dónde viene su tristeza descubriremos hasta dónde llega su risa.

Con unos cascos de tres metros que me había comprado en un puesto guiri de la zona. Sabina de fondo. Peces de Ciudad. Probablemente nuestra canción favorita. Y más de fondo aun, el cielo de Tenerife color Marina.

—¿Qué te pasa?

Y entonces me contó lo que le pasaba. Con la mirada en los pies y muy bajito. Por supuesto, no os voy a contar lo que le pasaba a Marina, porque ese es el secreto de nuestra amistad.

Pero sí te diré algo: no era lo que yo creía. A Marina no le gustaban las mujeres.

Y cuando dejó de llorar empezamos a hablar de otras cosas mucho menos importantes.

La vida se paró. No es tan bonito que la vida se pare. Pasa muy poco. Y cuando pasa, es porque ya no podemos más. Miramos al Gran Azul. Llenamos el cielo de noche. Y cenamos secretos y pipas.

Después el mundo volvió a arrancar.

Que es lo que pasa cuando algo se ha detenido.

Eso me lo enseñó Marina.

Física pura.

Pero no iba a ser lo más importante que me enseñara aquella tarde La Chica Naranja.

Ahí fue cuando aprendí a soplar a la luna.

Encontramos deseos. Hicimos una "O" con los labios. Y soplamos.

Ya está. No pasó nada más. Es un instante poco interesante para el mundo pero muy importante para nosotros. Después, como nos habíamos quedado encerrados en aquella terraza, salté de un balcón a otro. Y le abrí la puerta a La Chica Naranja.

Y ninguno sabe lo que le pidió el otro a la luna.

Pero sabemos que se cumplió.

Un pequeño elefante
de madera

Y como solo estuvimos *casi* en África, Marina hizo la mochila y se fue a Senegal.

Desgraciadamente yo no fui a Senegal con ella. Así que solo puedo contaros el antes y el después. El mientras te lo tendrás que imaginar conmigo.

Me hubiera encantado acompañarla y contártelo todo, pero la que ganaba los concursos, carreras de orientación, sabía subirse a los árboles y tenía el corazón más grande era La Chica Naranja.

Se fue porque es de esas personas que necesitan desaparecer de vez en cuando. Se recorrió las tierras africanas con latas de conserva y juguetes. Con el equipaje sobre la cabeza cuando debía cruzar un río. En el que a mí me gusta imaginarme cocodrilos. Con los ojos abiertos cuando se hacía de noche. Durmiendo en el suelo, con un escudo en forma de mosquitera contra la malaria. Con un solo par de gafas. Con una sola esponja que debía compartir con cinco personas más para poder ducharse cuando llovía. Mirando el mar. Imaginando una casa en la orilla. Con una camiseta enorme y verde que ponía: *Madrid Rumbo al Sur*.

Allí escribió un diario.

Hizo dibujos porque la cámara de fotos pesaba mucho y el equipaje siempre iba a cuestas. Conoció a gente como ella. Sé, en cierto modo, que Marina encontró más su sitio allí con ellos, que aquí conmigo. Y me pone triste, y no me gusta mucho reconocerlo. Solo que me alegro de que tuviera que volver, porque aunque descubriera que el arroz con mango está rico, tenía que volver.

Porque es lo que hace la gente que se va.

Y aquel verano seguramente haya sido el más feliz de toda su vida.

Pero me da igual, me gusta pensar que estaba conmigo, aquí, en casa, de una manera un poco egoísta.

Cuando volvió, y quiero pensar que volvió porque nos echaba de menos, merendamos tortitas con nata en el Vips. Tiró la jarra de agua. Porque siempre tira algo. Y nos contó, con las manos vacías, que no había ayudado todo lo que le hubiera gustado.

Que veintiún días eran pocos.

Que una mujer intentó regalarle a su hija para que la trajera con nosotros a España y poder darle una vida mejor.

Que el viaje de Marina no había sido solamente feliz.

Que volvió porque lo necesitaba.

Y yo digo que solo ella podría haberlo hecho, y fue la única que lo consiguió.

Y por último, me regaló un pequeño elefante de madera que cuelga de mis llaves, lo que significa que Marina, esté donde esté, es casa.

Crecer es simplemente hacerse más grande

Dejamos el uniforme atrás.

En nuestro colegio de pago y pasillos amarillos uno tiene que ir uniformado hasta que termina el instituto.
Un polo blanco, unos chinos azul marino, mocasines y un jersey granate con el logo en el pecho para nosotros.
Otro polo blanco, una falda igual de azul por debajo de las rodillas, náuticos de cordones duros, medias y el mismo jersey granate con el mismo logo en el pecho para ellas.
Y unas deportivas, un pantalón de tela y una camiseta elástica para Marina.
Y el logo en el pecho, claro.
Siempre con el logo en el pecho y debajo, enterrado, el corazón.

Hasta que nos desenterramos para deshacernos de ese estúpido disfraz y llegamos a bachillerato. Dos años y seríamos libres.
Ya no eran estudios obligatorios, así que no era necesario ir en uniforme.

Eso sí: nada de piercings. Ni tatuajes. Ni maquillaje. Ni escote. Ni pendientes en caso de los chicos.

Nunca he entendido mucho eso. Y ahora que lo digo (y que este libro se llama *No te calles*), quiero decirlo bien:

—Las chicas podían llevar pendientes y nosotros no. Sinceramente me parece una mierda.

Y me gustaría mucho que algún día la gente se lleve las manos a la cabeza. ¿Ellas sí y nosotros no? ¿Por qué?

Siempre quise creer que alguien pensaría seriamente en lo que significa esto y que sería una barbaridad.

Maldita sea, ¡solo eran pendientes!

No sé si ha pasado el tiempo suficiente, no importa, yo te lo cuento y tú ya piensas lo que quieras.

Primero pasó muy rápido.

Os contaría cosas pero la verdad es que no me acuerdo de casi nada. Lo que me tranquiliza mucho, porque quiere decir que no hubo guerra.

Primero empezó abrazando a Marina. Acababa de llegar de Senegal, y como ella no iba a hacerlo, pues ya lo hago yo.

—Aunque no quieras, te voy a dar un abrazo, eh.

Entonces Marina encogió sus hombros y después abrió los brazos. Los dos teníamos ganas. Me gustan los abrazos de Marina porque no los tiene todo el mundo. Claro que queríamos abrazarnos, nos habíamos echado de menos.

Y sé que si yo no hubiera ido a abrazarla, ella no hubiera venido a abrazarme a mí. Así de tonta es.

Ya no jugábamos a Ciervo porque habíamos crecido.
Ya no bajábamos al patio. Los treinta, o mejor dicho, veinticinco minutos de descanso (ya ni siquiera se llamaba patio), se habían convertido en una jaula abierta. Salíamos a la calle, comprábamos *Risketos* en el chino de arriba y nos sentábamos en el banco del parque.
Me encantó vernos ahí, vestidos sin logo y con el corazón, tan grandes y tan juntos. Nos contamos el verano y nos habíamos echado de menos.

Quemado el uniforme y con él una curiosa parte de nuestra infancia, Marina siguió haciendo cosas extraordinarias.
Porque sí.
Porque Marina tenía que cambiar el mundo.
Y para que las cosas cambien, necesitamos más Marinas.
Así que llegó el día en que La Chica Naranja se puso toda su ropa al revés.
La etiqueta de la camiseta le rozaba la barbilla.
Los bordados del vaquero dibujaban sus piernas y le colgaban los bolsillos.
Seguramente las bragas al revés.
Zapatos distintos.
Y un calcetín de cada color.

Llegados a este punto era difícil que Marina nos sorprendiera, y aun así lo hizo. Ni siquiera los profesores podían decirle nada. Ya no tenía que llevar falda. Ni siquiera chándal. Ahora podía venir como le diera la gana. Así que lo hizo y por supuesto que cambió un poco el mundo. Y por supuesto que le pregunté por qué.

No recuerdo cuáles fueron exactamente sus palabras, pero con las etiquetas al aire pretendía darle la vuelta a las cosas.

A los uniformes.

A la injusticia.

A Senegal.

A todos esos chavales que me llamaban maricón.

A toda esa gente que creía que Marina era Marino.

Incluso a un colegio que nos obligó a crecer, porque es lo que hacen algunos colegios. A la idea de dejar de correr. A la luna. Y a no tener el valor suficiente como para darle un buen abrazo a su mejor amigo tras un verano corto.

Y lo consiguió.

Sé que lo consiguió porque cuando llegó la hora de entrar, cuando terminó el descanso de veinticinco minutos y ya no jugamos a Ciervo y nos sentamos en un banco a charlar...

Pepe miró su reloj.

Laura terminó de reírse.

Y Pablo empezó a pasar de la chica que le gustaba desde infantil porque se dio cuenta de que era tonta.

Todo cosas de hacerse mayor.

El instituto lo había conseguido.

Cuando uno entiende que crecer es simplemente hacerse más grande, crece.

Como todos mis amigos.

Como Marina entre todos ellos, en cualquier lugar que no sea el primero ni el último. Ni delante ni detrás. Ni antes ni después.

Cambiando el mundo de vuelta a clase, con la ropa al revés, sin que nadie pudiera decirle nada.

En un colegio de pago.

Y pasillos amarillos.

Que quererse resulte
sencillo

Lo mejor que me ha enseñado La Chica Naranja es que estamos juntos porque querernos resulta sencillo.

Segundo voló. Nunca hicimos tantos exámenes seguidos. Y gracias al cielo nunca volveremos a hacerlos. Nos matamos a estudiar y a copiar.
Segundo fue esa gran prueba que superamos juntos.
El instituto terminó. Y bachillerato nos catapultó a un mundo en el que ya éramos adultos y teníamos una nota respetable en Selectividad.
Después de una graduación horrible y una selectividad dura, llegó un verano inmejorable.

Cada uno escogió un camino, pero no dejamos de vernos. Es cierto que cada uno empezó su carrera. Que nos hicimos un poco más mayores. Y que nunca más volvimos a vernos todos los días.
Es verdad que Marina no pudo estudiar medicina porque la profesora de inglés le había bajado la nota. Lo que bajaba su media. Y transformaba su vida por completo. Y en vez de

curar a otros, decidió seguir curándose a sí misma, porque empezó a estudiar ciencias del deporte. Que no se llamaba exactamente así, pero seguro que me entiendes.

Yo, literatura.

Y aun así, seguimos dándonos la mano para que no pudieran pillarnos.

Tengo la sostenible teoría de que lo hizo porque sabía que si no, no volvería a correr. Y para no hacerse vieja. Y porque "la cura de todo estaba en el agua salada: El mar, sudor o lágrimas".

Sostengo la firme idea de que Marina no terminó estudiando medicina porque crecería mucho más rápido, correría mucho menos y no sería tan feliz.

Y nada tenía que ver la nota de inglés en todo esto.

Al menos por ahora.

Marina hará grandes cosas, pero no serán en un quirófano.

Antes de despedir nuestra infancia (y con ella nuestro crecimiento forzado en un colegio de pijos), nos fuimos a Almería. A un lugar que se llama Roquetas del Mar. Cuando pisamos la playa y no había una pizca de arena, entendimos el nombre.

No lo habíamos pensado mucho, la verdad.

Solos. Sin colegio. Sin uniforme. Y sin normas. Cinco días. Aunque no pudiéramos tumbarnos en la playa, fue increíble ese viaje.

No hicimos grandes cosas, no nos pegamos súper fiestas.
No destrozamos el hotel ni imaginamos ser estrellas del
rock.

Pero cenamos en la playa de noche. Jugamos al fútbol.
Cocinamos, discutimos y nos reímos grande.

Creamos recuerdos.
Y nos hicimos una foto.
Con las toallas atadas al cuello.
Siempre con el mar de fondo.

Cuadernos en el buzón

¿Y ya está?
¿Y La Chica Naranja?
¿Qué fue de ella?
¿Qué hace ahora?
¿Y tú?
¿Seguís siendo amigos?

Claro que sí.
Ya te dije que lo que nos une es mucho más fuerte que un colegio, el patio de veinticinco minutos o los apuntes de biología.
Es cierto que esta historia llega a su fin, pero te gustará saber que nosotros no.
Si hay algo que pueda ser para siempre, es una amiga.

Sería injusto decir que no tuvimos miedo de perdernos. Que no pensamos que todo cambiaría. Que con el tiempo preguntarnos ¿qué tal? por el pueblo sería una obligación y no una necesidad.

No podíamos dejar que eso pasara, así que Marina preparó su último golpe.

Salió de su casa a cualquier bazar del pueblo en busca de un pequeño cuaderno de tapas naranjas, acuarelas y unos rotuladores.

Yo fui al Leroy Merlín para conseguir pintura azul, rodillos, brochas y mucho papel de periódico.

Ella rescató nuestra historia y yo hice un mundo a mi medida con las paredes de mi habitación.

Marina empezó a escribir y colorear ese pequeño cuaderno que finalmente tuvo tapas negras porque no debían de quedar naranjas, pero no pasa nada porque ella me ha dicho que me imagine que es naranja. Así que recopiló los momentos más importantes que hemos vivido juntos desde que nos conocemos y los bordó con agua y tinta.

Después lo envolvió y me lo regaló por mi cumpleaños.

Es lo más bello que me han regalado nunca.

Aparecemos ella y yo.

Pero también aparecen muchos de los nuestros, como Pepe, Pablo y Laura.

Lloré mucho con ese regalo y nunca se lo dije.

Nunca se lo dije…

Y como este libro se llama… Así es, *No te calles*, no me callo:

—Gracias, Marina, lo venciste todo ahí.

Mis dieciocho no fueron ultraespeciales porque pudiera entrar en discotecas o ir a la cárcel.

Mis dieciocho fueron especiales porque Marina seguía creyendo en mí tanto como yo en ella. Y en eso consiste quererse.

Pero es que a mis diecinueve años pasó exactamente lo mismo.

Y a mis veinte. Y mis veintiuno, veintidós y veintitrés.

Cada año, dos días después del invierno, la noche de mi cumpleaños miro el buzón y nunca falla.

Marina siempre está ahí, en forma de cuaderno de tapas naranjas.

En forma de agenda. De folios doblados por la mitad, bordados con hilo de coser. Con esparadrapo. O con lo que pille.

Años dibujados a su vera. Contados como solo ella podría hacer. Dicho como solo ella sabe decir las cosas.

Tengo ya una colección de nada menos que cinco pequeños cuadernos hechos a mano, a color y a letra por sus propias manos.

Es uno de mis mayores tesoros.

Y tengo la sensación de que el año que viene, viva donde viva, esté solo o acompañado, cuando llegue el 24 de diciembre, abriré mi buzón y ahí estará ella.

Recordándome todo lo que hemos conseguido juntos ese año, como si olvidarla fuera tan sencillo como quererla.

Con su pelo corto y sus sudaderas anchas, abrazándome porque ya sabe dar abrazos, porque ya sabe dibujarlos.

Discutiendo con cualquier repartidor de correos para que llegue a tiempo (es una mala fecha).

O con sí misma para colarse en el portal sin hacer ruido, dejar su amor por mi rendija y marcharse sin más.

Marina, si hubiera sabido que venías, hubiera preparado café.

Pero ¿sabes qué?

Algún día cogeré un autobús y volveré al pueblo.

Llegaré a tu casa, que está al final de todas las cosas, al borde del campo, y colaré este libro por debajo de tu puerta.

Y después me marcharé sin hacer ruido.

Como has hecho tú todos estos años.

Y no lo haré ni la mitad de bien que tú, pero estaré diciéndote gracias. Que te debía algo así. Que te quiero.

Y aunque no pueda pedirte que no te vayas nunca, espero que siempre estés de vuelta.

En cuanto a ti, he decidido que antes de marcharme te voy a regalar algunos de esos momentos que Marina no dejó que arrastrara el olvido. Para que veas de lo que es capaz.

Y después sí.

Después ya sí.

Termina nuestra pequeña historia.

No sin antes contarte lo del Gran Azul.

Todas aquellas veces

La noche que volví de Londres y estabas esperándome en el aeropuerto con todos los demás.

Cenamos chino. Jugamos al Trivial.

Y no pudimos dejar de mirarnos de reojo porque no nos creíamos que ya estábamos en casa.

Recuerdo que tú sonreías igual porque sabías que algo en mí había cambiado.

La vez en que empezaba mayo y nos sentamos en el césped de Plaza de España. Tú me tendiste la mano desde el otro lado del puente y yo me atreví a cruzarlo. Ahí confirmé tus sospechas: algo en mí ha cambiado.

Y no dijiste nada porque no hizo falta.

El verano en que te cortaste el pelo más todavía.

Me gustó mucho eso porque La Chica Naranja se atrevió a cambiar. Lo hicimos juntos. Y a mejor.

Cenamos, reímos y volvimos a encontrar un balcón desde el que soplar a la luna. Solo que esta vez éramos felices porque pedimos cosas que no necesitábamos.

El cumpleaños en el que aparecí en la puerta de tu casa, al fondo del mundo con un bizcocho cutre y velas de cera. Se me habían olvidado los cubiertos y a ti te hizo mucha ilusión porque no hay nada mejor que comer con las manos.

Cuando volviste a volver. Esta vez del este. Debía de hacer mucho frío, así que menos mal que esta vez fui yo quien te esperó en el aeropuerto con pancartas mal escritas y confeti.

Seguro que entendiste lo que ponía, porque somos tus amigos y porque nosotros siempre decimos lo mismo: "Ya era hora".

Aquella mañana antes de volver vaciaste los armarios, comiste cereales y lloraste un poco. Después escribiste en la pared de la residencia: "Arriésgate a ser feliz donde yo lo fui".

Cuando te echaste novio y el mundo no supo más que guardar silencio, cuando descubrimos el café y a partir de ahí nunca dejamos de tomarlo. No sé qué me gustó más, si que te echaras novio y callaras tantas bocas o el café. Eso fue genial, Marino.

Esperando bajo la lluvia y un paraguas prestado en la cola del concierto de Sabina en Madrid.

Y San Juan. San Juan por supuesto, porque somos gente de tradiciones y aunque no tenemos mar, nunca sobran deseos, ni faltan ganas de saltar el fuego pensando lo que queremos dejar atrás. Una hoguera en una pequeña maceta blanca para no incendiar el pueblo. La magia siempre ha sido una excusa.

El eclipse. Y no cualquier eclipse. El de luna. Laura se trajo el telescopio y yo una especie de mapa del cielo que no había usado casi nunca. Nadie sabía leerlo, excepto tú. Nos enseñaste a ver a Casiopea y tapamos la luna. Ese año crecimos especialmente.

El día en que terminaste la carrera y yo publiqué un libro de tapas azules. El mundo estaba a nuestro favor. Supongo que después iríamos al cine y cenaríamos pizza.

El otoño en que volvimos a ver a Ander, el tutor rojo, en un colegio de pijos. Seguía siendo gigante. Hablando muy seguro de sí mismo. Lo único que era distinto es que, como nosotros, ya no estaba en aquel centro en el que ninguno de los tres pegábamos una mierda.

La vez en que volvieron a sacar una película parecida a Harry Potter que no era Harry Potter. Cinco amigos en el cine mirándose entre ellos, dándose cuenta de que éramos mayores porque no nos gustó ni la mitad que Harry Potter.

El día en que fumaba y tú me dijiste: "No fumes", y yo te dije: "No te muerdas las uñas". Y los dos seguimos haciendo lo que nos dio la gana.

La mañana que fuimos juntos al gimnasio y Operación Triunfo nos había devuelto la ilusión por la televisión. Hablamos de Amaia mientras hacíamos elíptica y una lección de juventud perdida en algún hueco de todos estos años nos encontró y volvimos a correr.

El día que entendimos que ser y estar eran cosas distintas. Que siempre seremos, aunque no siempre estemos juntos.

Una casa en
El Gran Azul

Este es el final.

Y no es gran cosa porque solamente es el final de esta pequeña historia.

La vida de Marina continúa, pero los renglones tendrá que caminarlos ella.

Ojalá me deje mucho estar a su lado para, algún día, terminar de contártelo todo.

Y por eso no es un gran final. Ni feliz, ni triste, ni aterrador, ni tremendamente emocionante.

Pero ya que has llegado hasta aquí.

Ya que te has imaginado a Marina, tendremos que despedirnos.

Además me gustaría que fuera con la fotografía que tengo en la cabeza. Me gustaría regalarte la imagen que mi *yo futuro* tiene de Marina y lo que Marina está segura que vivirá:

Es La Chica Naranja sentada en una playa de arena blanca. Enorme y vacía. Suenan gaviotas, huele a sal.

Lleva una sudadera de cremallera y bañador. Sopla el viento y su pelo se mueve poco porque vuelve a ser corto. Casi blanco.

Está descalza, acariciando con ternura la espalda peluda de un labrador marrón y blanco.

Adulta e independiente dentro de un junio avejentado.

Sobre la orilla, repasa recuerdos con un libro en la mano.

No te calles.

No está tan nuevo como el que pudieras tener tú ahora mismo, sino que está arrugado y probablemente con alguna mancha de café. Lleno de páginas dobladas y cosas subrayadas.

Está pensando en mí.

Y yo estoy pensando en ella.

Quedan unos meses para mi cumpleaños y ya tiene un pequeño cuaderno al lado que aún no ha empezado a dibujar y que lanzará con todas sus fuerzas desde cualquier otro lugar del mundo hasta mi buzón cuando lo llene.

En algún momento caerá el sol y el cielo se pondrá a juego con ella. Hará una pequeña hoguera porque es San Juan. Y nosotros somos gente de tradiciones.

Después saldrá la luna y la veremos a la vez desde lugares distintos.

Y pediremos cosas que no necesitamos y eso es ser feliz.

Se pondrá de pie, cogerá aire y vaciará sus pulmones.

En lo que sacude la toalla, Batman correrá alrededor de sus piernas. Se pondrá las gafas, encontrará a Casiopea sobre un cielo forrado de azul y sonreirá un poco.

Mirará la hora en un reloj gris que no dejó que creciéramos y marcarán las nueve.

Después, con mucha calma, se dará la vuelta y caminará tranquila sobre el sendero de adoquines de madera que casi oculta la arena y conduce a una pequeña casa.

La que hay justo delante de Marina, frente al *Gran Azul*.

Te quiero.

Una biblioteca arde

JAVIER RUESCAS

Aún espero encontrar a mi abuelo allí mismo, sentado en el butacón del salón, leyendo y con las gafas haciendo equilibrios en la punta de la nariz. Aunque sepa que no es posible. Aunque lleve muerto una semana.

El olor de su colonia todavía impregna la tapicería. La forma de su cuerpo sobre el respaldo me recuerda a las huellas de un dinosaurio olvidado. Un dinosaurio del que podré hablar a mis hijos en el futuro, si llego a tenerlos, pero sobre el que no podré ofrecer demasiados detalles.

—No te quedes ahí parado, Adrián.

Con un rugido seco, la persiana se eleva y mi madre se queja de la estela de polvo que nos rodea y que hasta el momento resultaba invisible. Antes de que vuelva a decirme nada, me recoloco la mochila al hombro y empiezo a llevar al coche algunas de las cajas apiladas en el salón.

Fue un cáncer terminal. De hígado. Por los años que trabajó en las minas, suponen todos. Es más fácil creer eso que pensar que fue casualidad, que le tocó a él como nos puede tocar a cualquiera. No les culpo y tampoco puedo rebatírselo porque apenas recuerdo detalles de aquellas historias. Para mí, mi abuelo siempre fue viejo. Siempre olió a pachuli y siempre se sentó en el mismo butacón a leer y a resolver crucigramas. Ahora, por primera vez, me pregunto si debería haberle conocido mejor. Si debería haberle preguntado por pasados en los que ni yo, ni su hija, mi madre, existíamos. En los que había mucho más en su vida que gestos hoscos, adivinanzas, paseos tranquilos y siestas después de comer.

En cualquier caso, ya da igual.

Una vez que termino con las cajas, me dirijo al dormitorio arrastrando los pies. Mientras recorro el sombrío pasillo de la casa, me fijo en las fotografías que cubren las paredes. Ninguna la colgó él. Fue mi abuela quien decoró todo el piso. Y cuando ella falleció, hace ya seis años, todo quedó en suspenso. Como un museo para honrar su memoria. Mi padre dice que ha sido cuestión de pereza, nada más. Que es un vago.

Era. Era un vago.

Qué extraño resulta utilizar el pasado para hablar de alguien que siempre ha estado presente. La muerte sí que es pretérita perfecta, y no lo que nos enseñan en clase. Sin rastro de presente ni posibilidad de futuro.

—¡Adrián! ¿Cómo vas? —pregunta mi madre desde la cocina.

—Bien —respondo. Aunque bien, bien, no estoy. Siento una vergüenza incomprensible al pensar en entrar en la habitación de mi abuelo y solo quiero abandonar la casa y no volver nunca más.

Desde que mi abuela murió, siempre que hemos venido ha sido solo para estar en el salón y, en casos de suma urgencia, pasar al baño. Y ahora que él ya no está, siento que no soy bienvenido. Que me vigila.

Mi abuelo no era un hombre severo ni violento, y sé que me quería, pero a su manera. Igual que yo también le quise a él. Pero como se quiere a quien sabes que tienes que querer, sea como sea, haga lo que haga, porque estará ahí toda la vida: sin darte cuenta ni demostrarlo. Porque sois familia y tenéis que hacerlo sin dudar ni cuestionaros las razones. La sangre entiende a la sangre, decía él. Aunque ahora creo que nunca le llegué a conocer lo suficiente como para que aquella afirmación fuera real o suficiente. No siempre la sangre entiende a la sangre. Y, si no, que nos lo digan a mi madre y a mí.

Su habitación se encuentra a oscuras, pero no huele a cerrado ni a muerto. Por qué iba a hacerlo, si falleció en el hospital. Estoy paranoico. Sigue siendo su casa, aunque él no esté. Su sillón, su televisión, sus revistas, su baño con la cisterna atascada y la lámpara que titila por una bombilla suelta. Todo suyo, aunque él ya no sea.

Mi abuelo era hermético como una caja fuerte. Si dabas con la clave correcta, se abría y compartía contigo algo sobre él: su opinión concreta sobre un tema o incluso alguna anécdota de su pasado. Ninguna demasiado relevante. Eso no. Pero si fallabas, todo lo que ofrecía eran respuestas irritantes e innecesarias con las que distraerte para ocultarte la verdad, igual que un prestidigitador.

A mi madre se le daba fatal el juego y al final siempre acababa desesperada y de malhumor tratando de averiguar si su padre había ido al médico, qué le habían recetado o cuándo tenía la siguiente consulta. Para mi madre, cualquier cosa que te haga perder el tiempo es inútil. Los juegos, las relaciones sin futuro, las metas inalcanzables… Hay que ser realista, dice siempre, y a su alrededor se lo deja claro a todo el mundo. De ahí que no comprendiese que su padre se negara a someterse a la quimioterapia. ¿Acaso no era eso lo que cualquier enfermo de cáncer debía hacer? Puede. Pero él nunca dio su brazo a torcer: "Para lo que me queda, quiero morirme con este flequillo", me decía cuando ella no estaba cerca. "Es lo único que me recuerda que una vez tuve tu edad."

Su habitación está impoluta y parece la celda de un monje. La ventana da a un pequeño patio interior, donde un pajarito echa a volar cuando descorro la cortina.

Abro el armario para comprobar lo que ya sé: que está vacío. La poca ropa que guardaba mi abuelo está en las cajas que donaremos a la beneficencia. Hoy hemos venido solo para cargarlas y comprobar que no se ha quedado nada significativo por el camino. ¿Pero qué es importante y qué no? ¿Quiénes somos nosotros para decidirlo?

—¡Acuérdate de mirar en los cajones y debajo de la cama!

Obedezco. Y es entonces cuando encuentro la caja.

Está bajo el somier, pegada a la pared, junto a una de las patas del mueble. Por un momento la confundo con una sombra, pero cuando alargo el brazo, mis dedos la tocan y la empujo a la luz.

Es de cartón, y parece que todo el polvo de la habitación se ha acumulado sobre la tapa. La limpio con la manga del jersey y la abro.

Son postales de paisajes cuyos reveses

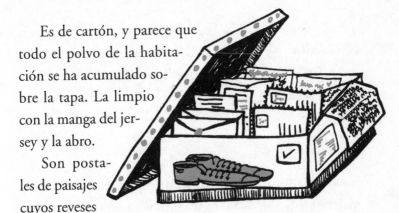

tienen mensajes escritos. Algunas con pocas frases, otras tan llenas de palabras que producen claustrofobia. También hay fotos. En la mayoría de ellas sale mi abuelo cuando era joven; en otras sale quien creo que es mi abuela.

Estoy tan concentrado tratando de destilar el presente de ese pasado que, cuando mi madre vuelve a llamarme, se me cae todo y se desparrama por el suelo.

—¿Has encontrado algo? —pregunta, apareciendo en la puerta.

Como estoy al otro lado de la cama, en cuclillas, no ve lo que hago. Me mira aguardando una respuesta, hasta que digo:

—Pues… no.

¿Por qué he mentido? No lo sé. Quizá porque en mis dieciséis años de vida nunca he tenido un secreto propio: todo lo ha controlado ella. Mi ropa, mis actividades, mis compañías… Todo ha pasado por su ojo y ha sido descartado en caso de no ser oportuno. Impoluto. E igual mi abuelo dejó aquella caja ahí para que yo la encontrara y averiguara todo lo que no me dijo cuando estaba vivo. Algo que me demostrara que la perfección no existe. Incluso en esta familia que tanto se esfuerza cada día por alcanzarla.

Así que, en cuanto me quedo solo, abro la mochila y guardo la caja en su interior.

* * *

Dicen que los padres están para criar y los abuelos para malcriar. Mi abuela se tomaba muy en serio ese dicho, y cada vez que iba a su casa a pasar la tarde o el fin de semana porque mis padres se iban de viaje, volvía con algún regalo. A veces era una bolsa de chuches, otras, una caja de cromos. Las mejores: una película que vendían en el kiosco con algún periódico que ella terminaba leyendo porque, total, no lo iban a tirar así, sin más.

La costumbre era siempre la misma: íbamos al mercado, pasábamos un rato en el parque de los columpios y, de regreso a casa, nos deteníamos en aquel kiosco que para mí tenía todo lo que podía desear. Ahí mi abuela me animaba a elegir algo y a mí se me abría el cielo.

Murió cuando yo tenía diez años, pero aún recuerdo nuestro pequeño rito como si fuera ayer.

Por supuesto, ahora hasta su barrio ha cambiado: el parque fue demolido y sobre sus cimientos construyeron un edificio de protección oficial; el mercado cerró y ahora el kiosco es una tienda de motos. Pero los recuerdos permanecen inmutables. Como si, al pasar por allí, caminara sobre una realidad, pero observara otra, como esos libros en los que varias transparencias completan una imagen.

Pienso en mi abuela y no en mi abuelo al abrir la caja esa noche, ya en mi cuarto, porque me pregunto si ella sabía que él había conservado todos aquellos recuerdos.

Con el murmullo de la película que están viendo mis padres en el salón, vacío el contenido sobre la colcha de mi cama y tomo una de las fotografías al azar. En ella sale mi abuela de joven, con un vestido largo, estampado de flores, y una melena lisa que le cubre los hombros mientras lee un libro. No mira a la cámara, sino que sus ojos se pierden en las páginas de la novela. Tampoco lo hace en la siguiente que cojo: ahí aparece al borde de un muelle, con una pierna en alto, y los brazos estirados hacia el cielo como la muñeca de una caja de música. No sabía que mi abuela hubiera sido bailarina…

Es al estudiar la tercera cuando comprendo la razón: no se trata de ella.

En esa foto, la misma mujer sale fumando un cigarro alargado y liberando el humo contra el espejo en el que se refleja. No son sus facciones lo que hace que me dé cuenta de que me he equivocado, sino el gesto: mi abuela nunca fumó. Odiaba el tabaco. Era una de las cosas que más veces repetía. Era incluso capaz de salirse de un autobús si la persona de al lado olía demasiado a cigarro. Al parecer, su padre había sido un fumador empedernido y fue el tabaco lo que terminó matándolo.

La impresión me obliga a recoger las demás fotos y a volver a mirarlas con otros ojos. ¿Cómo he podido confundirla? Siento que se me inflaman las mejillas, como si alguien más se hubiera percatado de mi error. Ahora que me fijo, me doy cuenta de que toda semejanza que haya podido encontrar entre mi abuela y aquella mujer ha sido producto de mi imaginación.

Entonces, ¿quién es? ¿Una hermana de mi abuelo? Imposible: era hijo único. ¿Un familiar lejano? ¿Una amiga? Me cuesta aceptar la última opción: ¿un antiguo amor? Mi abuelo siempre quiso a mi abuela. Desde joven y hasta que se murió. Es lo que me han dicho. Es lo que sé. He oído la historia un millón de veces: cómo se conocieron en aquel bar con más amigos, cómo mi abuela sacó a bailar a mi abuelo y él aceptó, cómo fue un flechazo a primera vista y al poco se casaron y tuvieron a mi madre…

Mi madre me ha contado esa historia casi tantas veces como la suya con mi padre. Sobre todo para recordarme que existe una mujer perfecta para mí esperando en algún lugar y que, hasta entonces, lo mejor que puedo hacer es esperar. Que la vida no está para cometer errores, por mucho que nos induzcan a pensar eso los eslóganes de marcas irresponsables. Pero ¿y si fuera gay? ¿Habría valorado y aceptaría la opción del hombre perfecto? Quizá con el tiempo. Pero de primeras, no.

Aunque esto… pienso mientras estudio cada postal, esto lo cambiaría todo. O no. La posibilidad de que otra mujer hubiera existido en la vida de mi abuelo tiene bastante lógica, pero me intriga y me fascina como una travesura que sale bien y de la que nadie se entera.

Supongo que solo podré averiguarlo leyéndolas. Y, total, si ya las he robado, ¿qué me impide seguir adelante con ello?

* * *

Esa noche no pego ojo. En mis sueños, las figuras de las fotos y las imágenes de las postales colisionan y se funden en la oscuridad de mi cuarto como un zoótropo que gira a toda velocidad. Cuando el sol comienza a despuntar sobre las azoteas de los edificios, decido que es un buen momento para levantarse.

"Buenos días! Podemos vernos?", tecleo en el móvil, aún entre las sábanas. "Quedamos en el parque?"

Siempre que la realidad me supera (que suele ser más a menudo de lo que me gustaría), y que las circunstancias me aturden hasta dejarme bloqueado, escribo a Ester para que me devuelva la paz interior.

La respuesta llega unos segundos después. Que sí, que nos vemos allí.

Una vez duchado y con la caja de las postales bien guardada en la mochila, bajo a desayunar. Mis padres me han dejado una nota en la nevera: han madrugado para irse a pasar el día al campo. Mejor, así no tengo que dar explicaciones.

Ester me está esperando ya en nuestro columpio cuando llego, con un regaliz negro colgado de la boca, a juego con su ropa, y las orejas cubiertas por unos enormes auriculares. No me ve acercarse porque está con los ojos cerrados, balanceándose suavemente con las suelas de los pies acariciando el suelo. Me detengo para observarla en secreto, como un ornitólogo que descubre una especie en peligro de extinción y quiere comprenderlo todo sobre ella. A veces pienso que solo cuando nadie nos ve, somos realmente nosotros. Pero en el caso de Ester es distinto: ella nunca es más ella que cuando debe demostrarlo. Y es por eso por lo que, a pesar de su ropa oscura, para mí, siempre brilla.

Es una chica grande, y parece aún más enorme en un columpio como ese. Cuando estoy a su lado, no solo me siento protegido, sino más fuerte. Su apodo en el instituto es Chubasco o Chubas, por eso de que siempre viste de negro y porque la mayoría de nuestros compañeros son gilipollas y aprovechan cualquier oportunidad para amargarnos la existencia.

Ninguno de ellos se da cuenta de que un chubasco a tiempo puede salvar una cosecha; o incluso una vida.

—Ey —le digo, dándole un golpecito en la rodilla y sentándome en el columpio contiguo.

—¡Ey! —responde ella, quitándose los cascos.

—Gracias por venir tan temprano.

—Me he pasado la noche con el ordenador y necesitaba despejarme antes de irme a dormir, ¿qué pasa? ¿Tu abuelo?

Aunque parezca imposible, Ester no necesita que hable para entenderme y suele adivinar lo que me sucede con bastante puntería. Tampoco necesito ponerle en situación o recordarle algún detalle anterior. Siempre nos ahorramos los preliminares y los rodeos cuando sabemos que ocurre algo importante. Ella es la única persona con la que siento que cada palabra mía cuenta. Ojalá los demás lo comprendieran. Ojalá mi madre pudiera ver más allá de su ropa o su aspecto, o de los problemas que tiene en casa, o los arranques que le provocan algunos de nuestros compañeros. Ojalá pudiera darse cuenta de que Ester es de esas personas que son más de lo que proyectan si se sabe mirar con atención y se les da la oportunidad.

No me hago de rogar y le cuento lo que he descubierto. Le hablo de la caja, las postales y las cartas, y después las saco para que ella también las estudie con calma. Según las va leyendo, me las pasa mientras asiente y se coloca algunos mechones negros tras la oreja.

La mayoría de las postales apenas tienen texto y tras la noche que he pasado casi puedo recitar de memoria su contenido. Ordenadas cronológicamente cualquiera puede darse cuenta de que mi mayor temor y mi mayor sorpresa no son infundados: mi abuelo y esta mujer tuvieron una relación. La mujer de las fotos fue quien escribió todas aquellas misivas, y aunque no tenemos las respuestas de él, es fácil imaginar la parte del diálogo ausente. Se querían. O se quisieron. Pero sus familias estaban enfrentadas y jamás aceptaron aquella relación.

Siento que traiciono a la memoria de mi abuela al preguntarme si fue por eso por lo que no acabaron juntos.

—Estas las envió a Alemania —apunto, cuando Ester llega a una postal con un cuadro de Renoir en el anverso. Y señalo la dirección a donde se envió, en Berlín.

—¿Qué hacía allí tu abuelo?

—Emigró a trabajar y volvió años después. Tampoco sé mucho sobre aquella historia. Cuando volvió, conoció a mi abuela y se casaron.

—O sea, que esta mujer… Nora Bel —lee—, ¿podría haber sido su esposa si no se hubiera marchado?

Por respuesta, me encojo de hombros. Me es difícil imaginar a mi abuelo con otra mujer que no fuera mi abuela, pero todas las señales apuntan a que la hubo. Que *las* hubo, quizá.

—No se escribieron más cuando él volvió —apunta Ester—. Qué extraño…

—O no conservó esas cartas —sugiero.

—¿Qué sentido tiene guardar unas y no otras?

Esa es la pregunta que no me deja dormir: ¿por qué las guardó? Las fotos puedo llegar a entenderlo, pero ¿lo demás…? ¿Acaso no se debe olvidar a una persona cuando otra se ha hecho con ese lugar en tu vida?

—¿Has buscado algo sobre ella?

—¿Sobre quién?

—¡Sobre ella! —y me planta la foto del cigarro delante de los ojos—. Tienes el nombre. ¿Has mirado en internet o le has preguntado a tu madre?

Me sonrojo sin pretenderlo y le digo que no quiero que mi madre se entere de lo que he encontrado. Ester no insiste más: incluso a ella le parece absurda la proposición. Conoce bien a mi madre. Sabe perfectamente que antes de enfrentarse a una realidad que se sale de su esquema perfecto, quemaría todo el contenido de la caja.

—Pues veamos qué sabe la red de redes sobre esta misteriosa señora —dice Ester.

Y así, en busca de la verdad mientras ella teclea el nombre de la mujer en el buscador del móvil, es como me adentro en la mayor mentira de mi vida.

* * *

Lo primero que pienso al ver a la señora Bel es que está muerta.

Lo segundo, que me sentiría más valiente si Ester hubiera entrado conmigo en la residencia, en lugar de quedarse fuera, sentada en la parada del autobús que ha tardado veinte minutos en traernos hasta aquí.

Ha pasado una semana desde la mañana en la que le mostré las postales. Durante los últimos días, Ester se ha encargado de recabar información sobre la mujer y yo de reunir el valor necesario para venir a visitarla.

Hace un día soleado, es mediodía, y la señora se encuentra sentada en una silla de ruedas con sus manos arrugadas sobre su regazo y el mentón apoyado en el pecho. Parte del rostro se halla oculto tras unas enormes gafas de sol. Es extremadamente delgada. Incluso más que en las fotos que guardo en el bolsillo de mi cazadora. El jersey color crema que le cubre el cuello le cae como un desierto de suaves dunas, interrumpido por una manta negra hasta el suelo.

Parece una triste marioneta olvidada por un ventrílocuo.

Nora Bel fue una de las bailarinas de ballet más famosas del panorama nacional. Lo averiguamos gracias a internet y a los recortes de periódicos que guardan en la hemeroteca nacional. Hizo giras por el mundo entero y estaba destinada a convertirse en un mito, pero un accidente relacionado con un tranvía y del que apenas hay datos truncó su carrera, la dejó paralítica, ciega y anclada a una silla de ruedas para el resto de su vida. Su ingreso en aquella residencia fue todo un acontecimiento para el lugar, y gracias al apartado de celebridades hospedadas allí que colgaron en su página web, logramos dar con ella.

En YouTube encontramos una grabación suya de 1949 en la que aparece interpretando la suite de *Carmen* junto a otro bailarín, y su forma de moverse sobre el escenario nos dejó embelesados. Parecía que nadara en el aire, provocando ondas y surcos invisibles a su alrededor, con gestos tan naturales como el viento que zarandea las espigas en un campo de trigo.

Hemos tratando de buscar más vídeos, pero no los hemos encontrado. Y ahora, al verla allí tan arrugada, tan gris, cuesta imaginar que sea la misma que hace años cabriolaba en mallas, embelesando a públicos del mundo entero.

La amable auxiliar que me ha guiado a través del jardín de la residencia me pide que, por favor, no la altere. En recepción he dicho que soy un pariente lejano y que estaba por viaje de estudios en la ciudad, así que había aprovechado. Después de preguntarle a la directora, me han dejado pasar y hasta creo que les ha hecho ilusión que alguien haya venido a verla.

—No puedes quedarte mucho tiempo —me advierte la auxiliar, de camino al lugar donde espera la anciana—. En breve tendré que llevármela a comer.

—Serán solo unos minutos —le digo, aunque ni yo mismo me lo creo. No sé por dónde empezar.

Nora Bel respira con tal suavidad que ni los cabellos rebeldes que se han soltado del moño y que caen sobre sus labios se agitan. Me quedo mirándola fijamente, pero ella apenas hace el más leve aspaviento. Permanece tranquila como las estatuas que decoran el inmenso jardín.

—¿Señora Bel? ¿Nora?

La mujer advierte nuestra presencia y se vuelve hacia nosotros con una sonrisa cansada.

—Han venido a verla. Es un chico que…

—Sé quién es —dice ella, y juro que siento como si el planeta, y mi estómago con él, cayera unos centímetros en el espacio infinito antes de recuperar la estabilidad.

—¿Sabe quién soy…? —consigo decir.

En ese momento el teléfono de la auxiliar comienza a sonar y ella se disculpa antes de descolgar y alejarse caminando mientras habla.

—Acércate —me pide la anciana, y yo me agacho a su lado cohibido como si fuera a pasar un polígrafo de la verdad.

Ella, con calma, coloca sus manos temblorosas sobre mi rostro y empieza a acariciarlo de una manera inesperada. No lo hace solo con delicadeza, sino con una meticulosidad quirúrgica. Los pómulos, los párpados, los labios, la nariz, la frente… Nunca he sido tan consciente de cada detalle de mi cara hasta ahora, y estoy seguro de que mi piel desprende más calor de lo normal.

—Mi nieto —dice ella, con la voz temblorosa cuando alza la mano buscando la mía—. ¿A que sí? Por fin has venido. Por fin nos conocemos.

—Eh… —las palabras se pierden en algún punto entre mi vergüenza y su ilusión, y en su lugar, alargo el brazo y le sujeto la mano callosa.

—Sabía que vendrías algún día. Tu madre, bueno… pero tú, sí. Mi nieto. Por fin nos conocemos. Qué mayor estás —añade, y vuelve a acercar mi mano a sus labios para besarla.

—Adrián —consigo decir, aclarándome la voz—. Me llamo… Adrián.

No eres su nieto. No soy su nieto. Acláraselo. Debo aclararlo.

—Adrián —repite orgullosa, feliz. Y en lugar de aclarar el malentendido, al darle mi nombre he terminado de cerrar el lazo de esta mentira.

Una lágrima se escurre tras las enormes gafas de sol para perderse entre las vetas de su piel y yo…

—Sí… abuela.

Ella sonríe al escucharme y me pide que me acerque. Quiere abrazarme y yo me dejo, impulsado por una extraña fuerza que creo que tiene que ver con el hecho de que ella es una parte nueva de mi abuelo.

Una parte viva.

* * *

Hemos hablado de muchas cosas, pero de ninguna que yo hubiera planeado. Al poco de empezar la conversación, me ha quedado claro que ni ella ni su nieto se conocen. Él nunca ha ido a visitarla, y su madre, la hija de Nora Bel, lo hizo por última vez hace diecisiete años, antes de tener a su hijo. Así que eso me ha dado luz verde a ser quien yo quisiera. Pero como tampoco me sobra imaginación, he optado por ser yo mismo como solo con Ester me atrevo a ser.

Al principio me he sentido como si le hubiera robado el diario a alguien y lo estuviera ojeando en secreto. O como en una de esas obras de teatro en las que los actores inter-actúan con el público y tú lo único que quieres es hacerte invisible y seguir disfrutando sin que nadie repare en ti, pero con la tensión de que puede tocarte salir en cualquier momento.

Creo que en lo más hondo de mis pensamientos había creído que sería cuestión de aparecer allí, interrogarla, y volverme a casa con las respuestas. En ningún momento se me había ocurrido que tendría que mentir, ni mucho menos que tuviera que volver; o que, lo reconozco, quisiera hacerlo.

A veces, cuando reproducimos en nuestra mente una escena tantas veces que acabamos rayándola, nos termi-namos por creer que las fantasías son presagios tan claros como los que otorgaba el Oráculo de Delphos a los héroes griegos. Pero entonces llega la realidad, con su sonrisa me-llada y su pelo revuelto, y decide recordarte que esto no es un mito y que nunca vamos a estar listos para lo que nos tiene preparados. Y de pronto te descubres teniendo que improvisar, con un guion que parece que hayan repartido a todo el mundo excepto a ti. Y así llegan las sorpresas y las mentiras que buscan verdades y las verdades que nacen de una mentira.

Yo no era el nieto de Nora Bel. Pero me había convertido en él sin dejar de ser yo mismo. Ella quería conocerme. A mí. A Adrián. Y yo quería conocerla a ella. ¿Acaso importaba que no nos uniera la sangre? ¿Le habían ayudado los genes a su auténtico nieto a venir a visitarla?

Pues eso.

Así que, cuando me ha preguntado cómo me iba en la vida, se lo he contado. Y lo he hecho con pelos y señales. He estado algo más de dos horas con ella, y le he hablado de lo mucho que se me estaba atragantando este curso, de lo que quiero estudiar, de mis amigos, de cómo es mi casa y de qué hago los fines de semana… Solo cuando me interroga sobre mi madre me pongo nervioso; temo decir algo que le haga descubrir que no hablo de su hija, pero hay algo en su modo de escucharme que me anima a desahogarme y a confesarle que cada vez me cuesta más entenderla; que muchas veces pienso que no encajo en su mundo perfecto y que me siento como un tachón en mitad de una redacción perfecta.

Pero Nora asiente y sonríe, y me advierte que su hija no va a cambiar porque considera que está todo bien. Y creo que lo dice porque ella misma se reconoce en esos gestos. Así que más me vale obligarla a verme como soy y no como le gustaría que fuera, añade.

—El mundo no cambia solo. Tenemos que poner de nuestra parte para ayudarle a hacerlo.

En el poco rato que estoy con ella descubro que Nora Bel no refleja las emociones con los gestos de su rostro, sino con las manos: cuando algo le emociona, o le afecta particularmente, sus manos se contraen con la manta entre los dedos, como si estrangulara un pensamiento para bloquearlo, mientras que, cuando está tranquila, se dedica a alisarla con la ternura de una madre.

Antes de marcharme de la residencia, Nora se encarga de presentarme a todas las auxiliares que nos encontramos por el camino, e incluso a la directora del centro, como su nieto. Las mujeres que ya me habían visto me increpan el haber mentido para entrar, que no hacía falta, pero yo me limito a sonrojarme, una vez más, y a bajar la mirada.

Las abuelas están para malcriar, dicen, pero habría que añadir que los nietos deben estar ahí para hacerlas sentir orgullosas, protegidas, convencidas de que lo han hecho bien. De que, independientemente de cómo hayan salido sus hijos, han ayudado a que una nueva generación transforme el mundo; de que tengamos todos una nueva oportunidad para ser mejores. Al fin y al cabo, los abuelos ven a sus nietos como son, y no como les gustaría que fueran.

Sea como fuere, parece que la historia del nieto ha calado porque, ya en recepción, la auxiliar que me ha acompañado al principio de la visita me ha sujetado del brazo y me lo ha apretado como una madre orgullosa a la que no le salen las palabras.

—No imaginas el tiempo que lleva hablando de ti. ¡Y eso que ni te conocía! Un día vendrá mi nieto y veréis lo guapo que es, nos decía. La verdad es que a nosotras nos daba una pena horrible, porque pensábamos que nunca pasaría… quiero decir, sabíamos que tu madre estaba embarazada la última vez que pasó por aquí a verla, pero nos aseguró que no volvería jamás y dábamos por hecho que tú tampoco. Y ¿qué han pasado? ¿Dieciséis? ¿Diecisiete años? ¡Y mírate ahora! Para que luego digan que los milagros solo suceden en los anuncios de la Lotería. Pero, ché, tu abuela, de aquí —y se señala la cabeza—, está perfecta, ¿y quiénes somos nosotras para rebatirla? Nadie. Mira que tú también… decirnos que eras un pariente lejano… ¡Si los abuelos y los nietos son más cercanos que los padres y los hijos! ¡Uy, mira, está llegando el bus! Si corres, lo alcanzas.

Aún aturdido por el monólogo de la mujer y todo lo que acabo de vivir, me despido de ella con un escueto "hasta luego", y salgo corriendo hacia la parada, donde Ester sigue sentada con los cascos puestos. Al verla allí, zarandeándose al ritmo de la canción que esté sonando y la mirada perdida en la carretera, siento el corazón arder y sé que no tiene que ver con el *sprint* que me acabo de meter desde la entrada principal porque ya me ha pasado muchas veces en el último año.

Al llegar a su lado, no me pasa desapercibida la mirada de burla que le dedica el hombre que también espera el autobús apoyado en la marquesina. ¿Qué pensará? ¿Que su ropa es demasiado negra o que está demasiado gorda? Ambas opciones me duelen más que si las dirigiera hacia mí.

—¿Ya? —me pregunta Ester en cuanto me ve—. ¿Cómo ha ido?

—Ahora te cuento —respondo, y vamos a subir justo cuando el otro tipo trata de colarse. No sé qué me sucede, pero en ese momento siento una rabia inesperada y una valentía desconocida y le corto el paso—. Eh… Disculpe, pero mi amiga lleva aquí más de una hora. Debería ser la primera en entrar, ¿no?

Él me mira como si me estuviera viendo por primera vez y no entendiera de dónde he salido.

—Lo que tú digas —dice, y trata de colarse de nuevo. Pero yo coloco el brazo contra la puerta del autobús y se lo impido.

—Ella primero.

—Adrián, déjalo… —susurra Ester, a mi lado.

—¡Que te quites, coño! —exclama el hombre, y me pega un empujón que me hace trastabillar y caer de espaldas en la acera, donde me araño las manos y las rodillas.

—¿¡Pero qué…!? —el conductor baja corriendo del autobús y me ayuda a levantarme—. ¿Y a usted qué le pasa? ¡El chaval tiene razón, esta chica lleva aquí desde que he empezado mi ruta esta mañana!

—Vamos, no me jodas… ¡Si se ha tirado!

Con ayuda de Ester, subo y nos sentamos en la última fila. Cuando el tipo va a entrar, el conductor le cierra la puerta en sus narices.

—Va a tener que esperar al siguiente —le dice, a través del cristal.

Mientras arranca, escuchamos al hombre amenazar con denuncias y soltar todo tipo de improperios hasta que nos alejamos.

—¿Por qué has hecho eso? —me pregunta mi amiga—. Estás sangrando.

—Porque esta vez quería ser yo quien te defendiera a ti —digo, estudiando la herida de la rodilla y el agujero en el pantalón.

Puestos a ser otra persona, mejor serlo en todos los sentidos, ¿no?

* * *

En el enfrentamiento con el desconocido de la marquesina he liberado toda la adrenalina que había acumulado durante la visita, y al narrarle a Ester lo sucedido en la residencia casi tengo la sensación de que le ha pasado a otra persona, que hablo de otro chico, de otra realidad… como si yo no fuera quien lo hubiera vivido. Hasta que termino y me atrevo a mirarla.

—¿Y piensas seguir con la mentira? —pregunta, recordándome la gravedad de la situación en la que me he metido de lleno—. No me gusta pensar que estamos mintiendo a una anciana ciega y en silla de ruedas.

Aunque no se lo digo, agradezco que ella también se incluya en los remordimientos.

—Ha sido una confusión. Y creo que le haré más daño si la próxima vez que vaya le digo la verdad.

—Así que vamos a volver.

Yo asiento sin decir nada. Necesito saber quién es ella para conocer a mi abuelo.

—Y creo que sí, que voy a seguir mintiendo.

Ester asiente y me agarra la mano sobre nuestras piernas.

—Gracias por lo de antes —dice, y entonces se acerca para darme un beso en la mejilla. Y aunque no es la primera vez que lo hace, mi piel reacciona de manera distinta. Igual que si hubiera reconocido un secreto, un tesoro, un deseo en sus labios, oculto hasta entonces.

Cuando me bajo en la parada de mi calle, una parte de mí permanece sentada en el autobús, a su lado, viéndome marchar, porque no soy el mismo y acabo de darme cuenta.

La sensación de ser ajeno a todo, incluso a mi cuerpo, permanece hasta que entro por la puerta de casa.

—¿Pero qué horas son estas de llegar a comer? —exclama mi madre, desde el comedor—. ¿Me puedes explicar para qué tienes móvil si nunca respondes a las llamadas?

—Lo siento —digo. Pero en cuanto entro, mi madre se fija en el rasgón del pantalón y los restos de sangre de la pierna. Cuando se levanta, mi padre la sigue con la mirada sin decir nada.

—¡¿Pero qué te ha pasado?! ¿De dónde vienes?

—No es nada —arguyo, y me aparto para que me deje—. Me he tropezado al ir a coger el bus, nada más.

—¿Con quién has estado? —insiste ella, y aunque parece una cuestión insignificante, sé que lo sabe y que vamos a terminar enfrentados, como siempre.

—Me voy a curar esto —respondo, tratando de escaquearme.

—Con la chica esa, ¿no?

—Podéis seguir comiendo, no tengo hambre…

—Vuelve aquí ahora mismo. ¿No te dijimos que no quedaras con ella?

Escondo las manos en los bolsillos para que no vean cómo las he convertido en dos puños cargados de ira. Mi padre pone los ojos en blanco y sigue leyendo.

—El año que viene empiezas la universidad —añade mi madre, con un tono autoritario que obstruye mis arterias—. ¡Y no puedes andar perdiendo el tiempo con gente así!

—¿Así cómo?

—Pues una mala influencia —replica mi madre—. Eso es lo que es esa chica, Adrián. Una mala influencia.

—Ester. Se llama Ester, ¿vale? —replico—. No "esa chica". Y que vista de negro y no le guste maquillarse no la convierte en mala influencia.

Mi madre suspira.

—Pero que se pelee con todo Cristo, que no tenga amigos normales, ni tampoco una familia decente, sí. Y también que siempre esté metida en líos. ¿Sabes cuántas veces ha venido su madre a las reuniones del AMPA? Cero. ¿Y sabes en cuántas ha salido su nombre a colación en esas reuniones? ¡En todas! Esa chica tiene un problema.

—¡Esa chica tiene muchos problemas, y te puedo dar sus nombres porque son todos los hijos de puta que le hacen la vida imposible!

—¡Eh! —salta mi padre, amenazándome con el dedo como si fuera una vara de mando—. No utilices ese vocabulario con nosotros.

Por un segundo me amedrento, pero luego tomo carrerilla y trato de zanjar el asunto de una vez por todas. No quiero seguir callándome como si no pasara nada.

—Mamá, Ester sufre bullying. Todos los días. ¿Habláis de eso en las reuniones? ¿De que yo también lo he vivido y ella me ayudó sacrificándose por mí?

—Ya tuvo que salir la dichosa palabrita… —masculla ella, clavando los ojos en el techo.

—¿Cómo? —replico, y esta vez avanzo un paso.

—Pues… —le pasa un trapo a la encimera, como si necesitara ganar tiempo, y me mira—, que en ese colegio no hay bullying. Que esa palabra es una estupidez inventada para que el gobierno pueda gastarse sus impuestos en encuestas idiotas. De siempre la gente se ha metido con la gente rara. ¿Y qué quieres que te diga? Esa chica tiene todas las papeletas para que le toque pagar el pato. Y es muy loable por tu parte que quieras ayudarla, pero no digas que a ti te acosan porque sabes de sobra que no es verdad.

La miro sin poder creerme lo que acaba de decir, mientras las palabras reverberan en mi cerebro y borran de un plumazo cualquier recuerdo amable y cariñoso que guardo de ella. Te odio, quiero decirle. Te odio por ser una gilipollas, por ser una insensible. Por no darte cuenta de lo que pasa. Por creerte que la vida es perfecta y no tiene fallas. Por creer, como creía el abuelo, que no merece la pena luchar por mejorar un poco el mundo. Por creerte que es mejor callarse y dejar que los problemas se solucionen por su cuenta, dándoles la espalda.

Y también te odio a ti, papá. Porque siempre permaneces en un segundo plano, callado, contenido. Dándole la razón con tu silencio.

Les quiero decir todo esto, pero no lo hago. Me dan miedo las represalias y sé que no podré ordenar los pensamientos, que me quedaré bloqueado, que me sonrojaré y que mis ideas se estrellarán contra mi lengua y quedaré completamente en ridículo.

Así que lo que hago es darme la vuelta y subir a mi habitación. Esta vez ninguno de los dos me dice nada. Antes solo era una excusa para estar solo, pero ahora se me ha cortado de verdad el apetito.

* * *

Ester apareció en el instituto un mes después de haber comenzado 4º de la ESO. Acababa de mudarse al barrio, y lo primero que hizo en el recreo fue salvarme la vida. No sé si ella es consciente o si piensa que solo evitó que los matones de turno me dieran mi segunda paliza de la semana.

Nunca he tenido muchos amigos, y siempre he sido carne de cañón para brutos despiadados que se sentían amenazados por mis gafas redondas y mis notas altas en los exámenes. Durante la época de primaria la cosa fue soportable, pero cuando entré en secundaria, mi mundo se convirtió en un campo de batalla sin que nadie me explicara ni las razones del conflicto ni la manera de lograr una tregua. Cuanto más era yo mismo, más recibía. Cuanto menos trataba de destacar, más recibía. No había forma posible de salir indemne de un día de clase, y pasaba las noches y los fines de semana temiendo el instituto. Pronto comprendí que mi madre tenía una venda en los ojos y que prefería creer a las otras madres antes que a mí, así que dejé de contárselo.

Pero ese día, Ester hizo algo más que espantar a empujones, mordiscos y patadas a esos chicos. Me devolvió la fe en muchas cosas. Y a veces solo hace falta la fe para seguir adelante. Por desgracia, fue como una maldición para ella: en el momento que me defendió, en el instante en el que decidió ponerse de mi lado, hizo que toda la crueldad de nuestros compañeros se enfocara en ella. Comprendieron que lo pasarían mejor con esa chica grande, despeinada, que vestía de negro y que respondía a los golpes, que con el flacucho que se limitaba a cubrirse la cara para que no le rompieran los braquets.

Desde aquel día nos hicimos amigos. Y aunque, como parte de la campaña de acoso hacia ella, muchos compañeros han tratado de convencerme para que la deje de lado y sea acogido por quienes antes me pegaban, no he cedido. Jamás. Ella me tiene a mí y yo sé que siempre la tendré a ella. Y para mí, más que un chubasco, Ester es un diamante. Brillante, fuerte, raro y libre de rasguños por mucho que traten de mellarla.

Y hoy con su beso siento que ha conectado algo más que sus labios con mi mejilla.

Como si supiera que estoy pensando en ella, de pronto recibo un mensaje suyo en el móvil. Ha encontrado el nombre del misterioso nieto de Nora Bel por el que he decidido hacerme pasar. Así es Ester: ese tipo de amiga que piensa en ti en todo momento, que te llama o te escribe por iniciativa propia.

"Creo que lo justo es que sepas quién es realmente", añade, con el enlace a su perfil en Facebook.

Se llama Víctor Cantó Hernández y tiene la cuenta abierta, así que cualquiera (yo) puede pasearse sin ningún problema entre sus publicaciones, fotos y estados desde que la abrió. Así descubro que es unos meses mayor que yo; que es "soltero" y que tiene muchas amigas que en todas las fotos se dedican a piropearle.

Es atractivo de una manera un poco tosca, no puedo negarlo. Tiene una melena que le llega hasta los hombros y sus ojos son tan azules como marrones los míos. Pero me sorprende descubrir cierta similitud entre las facciones de nuestras caras, incluso se le forman dos hoyuelos como a mí al sonreír. De altura debemos estar ahí, ahí. Él lleva ropa cara, claramente de marca, mientras que yo acostumbro a vestir con vaqueros, chándal, sudaderas y camisetas. De hecho, mi único abrigo lo tengo desde hace tres años y ya me queda corto de mangas.

Le encanta el deporte: tiene fotos jugando al fútbol, al voleibol, tenis, incluso haciendo hípica. También parece muy aficionado al senderismo y a las acampadas, según una de las muchas carpetas en las que organiza todas las imágenes. Pero lo que más le va es salir de fiesta. Casi cada semana sube una foto o varias dentro de una discoteca, con luces de neón a su alrededor, rodeado de amigos y con copas de todos los colores en las manos. En eso somos polos opuestos, definitivamente.

Escribe pocos estados, pero cuando lo hace, suele preferir expresarse a través de citas de canciones que reconozco. Le encanta mandar besos y abrazos a todo el mundo, y todos sus amigos son sus "bros", y todas las chicas son sus "caris". Y tiene muchos comentarios en todas las publicaciones, la verdad.

En un impulso que hasta me sorprende a mí, le solicito amistad y al instante me arrepiento.

No quiero seguir conociéndole. Si me acepta, lo que tendría que hacer es escribirle y explicarle que su abuela vive y que está en una residencia esperándole, que tiene ganas de verle, que nunca se sabe cuándo podría ser la última oportunidad y que lo sé porque me he hecho pasar por él mientras buscaba respuestas sobre mi abuelo.

Pero con suerte no será necesario.

No debería saber nada de esta familia. Ni siquiera sus nombres. ¿Por qué su nieto no la ha visitado nunca? ¿Por qué su hija desapareció y decidió no regresar? Más aún, ¿por qué debería preocuparme por algo así? Esa no es mi historia.

Creo.

* * *

—Oye, Adrián, ¿y tú estás enamorado?

La pregunta de Nora Bel me pilla tan desprevenido que se me escapa un poco de zumo por la nariz, como en las películas.

Estamos de nuevo en el jardín de la residencia. Hoy he venido solo, sin Ester, y no tengo prisa por marcharme. Mis padres se han ido a pasar la tarde con unos amigos y llegarán después de cenar. Llevo aquí desde las cuatro de la tarde y ya he conocido a todas las amigas de Nora. Que qué guapo soy, que qué alto, que cuánto me parezco a mi abuela, que si pueden ser también ellas mis abuelas. Yo me río y me acaricio las mejillas tras sus pellizcos y cachetes cariñosos. Después hemos dado un paseo y ahora estamos sentados delante del pequeño estanque en el que quedan vueltas algunas carpas de colores.

—No lo sé —respondo, cuando me recupero.

—¿Cómo no vas a saberlo, muchacho? —y suelta una carcajada que me hace sonreír, avergonzado—. Si dudas es porque hay alguien. ¿Una chica? ¿Un chico?

No siento que lo pregunte por nada en concreto. Nora es así: alguien que conoce el mundo en el que vive, aunque se haya pasado los últimos años ciega y encerrada en esta jaula de oro.

—Hay una chica. Ester —me atrevo a decir. Y siento que al tiempo que se lo estoy diciendo a ella, me lo estoy confesando a mí mismo—. Solo somos amigos, pero creo que… que siento algo más por ella. No quiere ser como los demás y creo que eso es lo que me gusta. Que se sale de lo típico. No sé.

—Lo típico está sobrevalorado, Adrián. Lo típico es aburrido por repetitivo. Lo típico es donde se esconde el mediocre para tratar de destacar con la manada y gritar las ideas de otros porque es incapaz de tener las suyas propias. Así que sí, es muy probable que sea por eso por lo que te gusta Ester. Por diferente.

Ester. La ha llamado Ester. No "esa chica", no "esa jovencita", no "esa". Ester. Y es la primera vez que le digo su nombre.

—Pero a mis padres no les gusta —confieso—. No todo el mundo lleva tan bien que sea diferente. En clase, principalmente.

—Entonces tendrás que esforzarte el doble no, ¡el triple! para recordarle que es increíble y que no debe dejar que otros la cambien, ¿me oyes?

—Sí. Lo haré. Ya lo hago.

Ella asiente, orgullosa.

—Y después tienes que decirle lo que sientes.

Esta vez soy yo el que se echa a reír.

—No es tan fácil, abuela.

Es la primera vez que la llamo de esa manera sin pensarlo y menos mal que es ciega y que no puede ver mi gesto de sorpresa en estos momentos, porque, madre mía… Ahora sí que siento que he traicionado a mi verdadera yaya.

Lo siento, abu.

—Las cosas que merecen la pena suelen ser difíciles de conseguir —dice ella—. Y no dejes que mis palabras te engañen: Ester quizá no te corresponda. Igual solo te ve como a un amigo. Pero al menos tienes que intentarlo y quitarte las dudas. Nada duele más que un beso que no diste.

Nora suspira con tanta fuerza después de pronunciar esas palabras que parece que se desinflara sobre la silla de ruedas. Entonces me aclaro la garganta y recuerdo por qué estoy allí.

—¿Y tú… abuela, cuántas veces te has enamorado en la vida?

Veo cómo sus finas cejas se alzan por encima de las gafas y sé que la pregunta le ha pillado tan por sorpresa como a mí la suya.

—Hablar de amor con viejos es de mala educación, que lo sepas. Siempre acabamos llorando —pero lo dice divertida—. Me he enamorado pocas veces de una persona, pero de manera muy intensa. También de otras cosas. Cosas sin las que no habría sabido cómo vivir. El baile, la música, el público… me aportaban algo que jamás he vuelto a encontrar y que echaré de menos hasta que me muera. No sientas lástima por mí. Eso es lo bueno de hacerse mayor: que tienes tiempo para pensar mucho y relativizar todo. Pero el amor… qué vendido es el *jodío*. Al final siempre se queda con quien se lo pone más difícil.

Inclina la cabeza hacia donde estoy yo y asiente.

—Sí, me enamoré. Y tuve la suerte y la desgracia de que me ocurriera de muy joven. Suerte porque no hay nada más triste que morir sin saber lo que es querer y ser querido, y fue un privilegio descubrir ambas cosas de adolescente. Pero una desgracia porque mi vida aún les pertenecía a mis padres. Entiende que antes no era como ahora… Al menos en mi casa, la palabra de mi padre era ley, y tuve que cargar con el peso de las rencillas y los odios, que a veces se heredan con la sangre, mientras que el amor te lo tienes que ganar.

—¿A tus padres no les gustaba el… el abuelo? —pregunto, sin estar seguro de tener más miedo porque me responda que sí o que no, porque no se está refiriendo al mío.

—Tu abuelo era el hombre perfecto… para ellos. Pero soy demasiado vieja y llevo demasiado tiempo esperando conocerte para mentirte. Y aunque puede que con esta verdad me dejes de hablar, fui yo quien no quiso nunca a tu abuelo. Fue de otro hombre de quien me enamoré. Un hombre al que tenía prohibido acercarme, como si fuera veneno o sus manos estuvieran manchadas con la sangre de su padre.

»Para vosotros ahora es imposible comprender qué significó la guerra en este país. La magnitud de sus consecuencias es inabarcable para cualquiera que no haya tenido que esconderse o escapar de la metralla. A veces lo era incluso para mí, que la viví solo siendo niña. Pero las consecuencias de los actos que entonces se cometieron han resonado en el tiempo como el eco de las balas que se dispararon. Como cualquier guerra, aquí se regó la tierra con venganza, dolor y sangre. Y la historia de nuestra familia no fue menos. ¿Te ha dicho tu madre alguna vez de dónde provengo?

—¿Vallericán? —pregunto, porque sé que ese era el nombre del pueblo de mi abuelo.

Ella asiente, sorprendida, y yo me incorporo en mi silla, casi me elevo, expectante.

—No esperaba que tu madre quisiera recordarlo. Mucho menos, decírtelo… Pero sí, ese era. Un nombre que para mí es sinónimo de pérdida. Allí, como en muchos otros, la guerra sirvió de acicate para avivar rencillas y saldar deudas injustamente. Y la historia de nuestra familia no está exenta de estos episodios tan deleznables. Lo único que debes saber es que mi padre odiaba al padre del chico de quien yo me enamoré, y viceversa. La diferencia entre a quién se le consideró el héroe y a quién el villano radicó en quién fue más rápido vendiendo al otro y provocando que le fusilaran. El mismo día que lloré la muerte de mi padre también lloré la despedida del chico que amaba. Pero es que, de haberse quedado su familia en el pueblo, habrían ardido con su casa esa misma noche…

Noto que le es muy difícil hablar sobre esto y me siento culpable por haberle inducido a ello. Aunque ahora no me cabe la menor duda de que habla de mi abuelo. Se enamoraron. Pero entonces, si tan imposible era su amor, ¿por qué siguieron escribiéndose? ¿Y por qué no acabaron juntos cuando se hicieron mayores?

Tengo tantas preguntas… pero antes de que pueda hacerle ninguna más aparece la enfermera por detrás de mí y con su sonrisa nos indica que ya es tarde y que debe llevarse a Nora a ducharse y a cenar.

Antes de separarnos, ya en recepción, mi falsa abuela me sujeta las manos como siempre después de darle un beso y me dice:

—Y tú hazme caso: habla con Ester. Las heridas cicatrizan, pero los remordimientos se quedan abiertos para siempre y nunca llegan a curarse.

* * *

Desde que he hablado con Nora, mis sentimientos hacia Ester parecen haber convulsionado y siento como si se hubieran extendido por todo mi sistema nervioso, como una enredadera salvaje. Y, del mismo modo que me cuesta comprender cómo he podido vivir todo este tiempo sin ser consciente de ello, soy incapaz de reconocerme sin sentirme así.

No obstante, ser valiente es difícil, comprendo en cuanto empiezan a asediarme las dudas. Supongo que si no lo fuera, habría menos cobardes en el mundo. Más de treinta veces me descubro sacando el móvil para escribir a Ester, y otras tantas volviendo a guardarlo sin tan siquiera encender la pantalla. ¿Cómo se le confiesa a alguien que te gusta? Más aún, ¿cómo se lo dices a quien ha sido tu mejor amiga desde hace años? ¿Y si se lo toma como una traición? ¿Y si piensa que solo he querido llevarme bien para cuando llegara este momento?

¿Y si dice que no? ¿Y si deja de hablarme?

Puede que los remordimientos sean heridas abiertas, pero el riesgo a sufrir es un muro muy difícil de sortear y la caída amenaza con ser realmente dolorosa. Así que al final dejo que la vergüenza gane la batalla y trato de controlar el leve temblor en la voz que de pronto me invade cuando estoy cerca de Ester.

La cosa ha estado bastante tranquila esta semana y al menos en clase nadie la ha molestado. Sí que hemos escuchado algún insulto al salir del colegio, pero ambos hemos hecho caso omiso. Los exámenes y la cantidad ingente de deberes ayudan a que todo el mundo focalice sus fuerzas en lo que de verdad importa.

Quizá por eso, el jueves en clase de Educación Física, cuando el profesor me nombra para que sea uno de los dos capitanes de equipo en el partido de baloncesto que vamos a jugar no soy consciente del conflicto que voy a desencadenar. Y solo porque decido escoger a Ester como primera compañera.

A mi lado se coloca la capitana del equipo contrario. Lara. Rubia, alta y delgada, es el prototipo de chica que trae loca a media clase y a la que teme la otra mitad. No esconde su gesto de burla cuando nombro a mi amiga, ni tampoco lo hace su novio, Sergio, cuando se une a ella. Sé que a Ester no le ha hecho ni pizca de gracia que haya tomado esa decisión. Lo hemos hablado más veces: siempre es mejor pasar desapercibido. Y si eres gorda, grande y vistes como ella, lo natural es que te escojan la última y que, con suerte, te toque sentarte en el banquillo. Y eso es lo que debería haber hecho, según ella: anteponer las leyes de la supervivencia a nuestra amistad.

Pero esta vez no lo hago. Esta vez quiero ser la persona que me gustaría ser, y no la que siempre soy.

Comienza el partido. Somos ocho contra ocho y aunque no tenemos mucha sincronización, marcamos algunas canastas. Las justas como para que el equipo contrario empiece a picarse y a cargar contra nosotros. Contra Ester. Al principio, es algún que otro empujón. Después, una zancadilla. Gestos inocentes, aparentemente. Pero la cosa se complica cuando el profesor nos comunica que tiene que ir a su despacho y que sigamos nosotros. Entonces me asusto. Porque sin nadie que vigile, estamos a merced de los matones. Pero nadie se queja de la oportunidad. ¿Por qué iban a hacerlo? Con tanta presión en el resto de asignaturas, se agradece una hora extra de recreo.

En un momento dado, recupero la pelota de las manos de Lara y se la lanzo a Ester. Cuando la coge, al vuelo, avanza hacia el campo enemigo, pero en el instante en el que va a lanzársela a otra chica de la clase, Sergio llega por detrás, le pega un empujón y mi amiga cae al suelo acompañada por el estridente chillido de sus zapatillas viejas. Antes de que nadie sugiera detener el juego, él recoge la pelota y echa a correr hacia nuestra canasta para seguir como si no hubiera ocurrido nada. Cuando me acerco a Ester para saber si está bien y ayudarla a levantarse, ella me aparta de un manotazo.

Sus ojos entrecerrados siguen al chico que la ha empujado.

—¿Qué vas a…?

—No te metas —me advierte con una autoridad que me deja clavado en el sitio.

Ella se levanta y echa a correr. Al principio me autoconvenzo de que ha vuelto al juego, de que no está por la labor de que le amarguen el partido y que solo quiere seguir jugando. Pero en cuanto la pelota cae en sus manos, sé que no es así. Con toda la fuerza que tiene, y puedo asegurar que es mucha, toma impulso y la lanza contra la cara de Sergio, que en ese momento está echándose unas risas con otro compañero.

El balonazo resuena por todo el gimnasio y el chico se desploma al suelo, braceando y sin equilibrio. Cuando cae, me doy cuenta de que le está sangrando el oído.

Esta vez sí que se detiene el juego y, mientras Lara se arrodilla junto a su novio gritando histérica, dos chicos corren a buscar al profesor de gimnasia. Me giro para buscar a Ester, pero me doy cuenta de que, en estos segundos de confusión, se ha marchado en dirección a los vestuarios. Aunque le pido que se detenga, no sirve de nada. Coge su mochila y aún con el chándal del colegio puesto, abandona el recinto.

El viernes descubro que le han puesto un parte de expulsión y que solo va a poder venir a clase las próximas semanas para realizar los exámenes, que ya verán si cuentan o no. De nada sirve tratar de hablar con la directora y explicarle lo que le estaban haciendo los demás chicos.

—¡Se estaban metiendo con ella! ¡Eso es acoso!

—En este colegio no hay acoso —me asegura cuando por fin accede a recibirme. Ha dicho palabra por palabra lo mismo que mi madre. Así que imagino que es un mantra que deben repetirse en las malditas reuniones del AMPA hasta que todos se lo creen—. Y agradecería que no utilizaras esa palabra con tanta frivolidad porque es un asunto muy serio que sufren muchos chicos en otras escuelas. Peleas hay en todas partes, y lo que es evidente es que una violencia de esa magnitud es intolerable aquí y en cualquier parte. Tu amiga debería darme las gracias por no expulsarla indefinidamente y dejarla hacer los exámenes.

Salgo del despacho aún más cabreado de lo que he entrado. Decido que el mundo es una mierda y que es imposible atreverse a ser valiente cuando todos nuestros referentes adultos son unos cobardes. Justo entonces, me vibra el móvil en el bolsillo.

Al encenderlo, veo que el nieto de Nora ha aceptado mi solicitud de amistad y que me ha escrito un mensaje privado.

"Hola, ¿quién eres?"

Y yo, que hasta este momento me había olvidado de su existencia, me siento dolido por su estúpida pregunta. ¿Que quién soy? Soy quien deberías ser tú. Soy quien ha estado con tu abuela las últimas semanas. Quien le ha devuelto la ilusión y las ganas de mirar al futuro. Soy su confidente y su amigo. Y tú no eres nada. Nada.

Excepto su auténtico nieto.

Me dispongo a teclear… pero me doy cuenta de que en realidad no sé ni qué decirle. Tampoco sé si quiero hacerlo. Además, cualquiera de las posibles presentaciones que se me ocurren me hacen parecer un tipo raro, un pervertido, un desconocido que pretende amenazar más que sugerir. ¿Y sugerir qué? ¿Que se replantee el no ir a ver nunca a su abuela? ¿Que tendría que hacerlo pronto?

Entonces se me ocurre enviarle lo único que puede dejarme la conciencia tranquila y obligarle a él a decidir. Sin pensármelo demasiado, me meto en YouTube, busco el vídeo de 1949 de Nora bailando, copio el enlace y se lo pego en el chat. A continuación, sin esperar a que pueda responderme, lo elimino de entre mis amistades y dejo el móvil en el cajón de la mesilla.

Que deduzca el resto él solo.

* * *

El siguiente día que voy a ver a Nora, viajo triste y sin compañía a la residencia. He intentado hablar con Ester los últimos días, pero me ha estado evitando y al final me ha pedido por mensaje que no la busque ni le escriba. Que mis padres tienen razón. Que todo el mundo tiene razón. Que es un problema para quienes la rodean y que no quiere arruinarme el resto del curso. Que ya hablaremos cuando terminen las clases.

—A ti te pasa algo —me dice la anciana a los pocos minutos de empezar nuestro paseo por los jardines—. Te lo noto.

Es sorprendente la capacidad que tiene esta mujer para adivinar mi estado de ánimo con las respiraciones, los silencios, la energía con la que camino o tiro de la silla de ruedas. Como si nos conociéramos de siempre, y no de hace un par de semanas.

—¿Es por Ester? —insiste.

—Aún no he hablado con ella… estos días han pasado muchas cosas —digo, y tras un breve silencio, accedo a contárselo.

Cuando termino, hemos llegado a la orilla del estanque. Allí, le pongo el seguro a la silla y me siento en el banco.

—No se te ocurrirá hacerle caso, ¿verdad?

—Pues…

—Ester lo último que necesita es quedarse sola.

—¡Pero me lo ha pedido!

—¡Por miedo! No quiere hacerte daño y no se da cuenta de que así vais a sufrir los dos. ¿No lo ves? Tienes que demostrarle que te dan igual las consecuencias. Que esa guerra no la va a ganar si se aísla. ¿Me entiendes?

—Creo que sí. Aunque no sé si me dejará…

Nora se ríe.

—Probablemente no. Porque ella también te quiere y lo hace para protegerte. Es muy valiente.

—Lo es —reconozco, y se me dibuja una sonrisa en los labios.

—Hazme caso: sigue a su lado por mucho que el mundo insista en no dejaros estar juntos. Sé de lo que hablo.

Y con esas cuatro frases me recuerda que no estoy siendo justo con esta mujer. Que la estoy obligando a vivir una mentira. Pero antes de que pueda reunir el valor para confesar mi crimen y las razones por las cuales lo he cometido, ella dice:

—Ese consejo me lo dio una amiga, y yo no quise hacerle caso. Pensé que no merecía la pena el sufrimiento de luchar cuando tantas cosas estaban en nuestra contra. De haberme dado cuenta a tiempo de lo mucho que me arrepentiría después por no haber peleado, te aseguro que las cosas habrían sido muy distintas.

No sé muy bien si debo animarla a hablar o asegurarle que no hace falta que siga.

—Abuela, no hace falta que…

Ella, intuitivamente, alarga el brazo y me sujeta la mano entre las suyas.

—Sí que hace falta —dice—. Sí que hace falta. No quiero que mi historia se pierda conmigo. Y me encantaría poder odiar profundamente al hombre que me rompió el alma en mil pedazos, pero era el mismo con quien tuve a tu madre.

Le tiembla la voz al hablar, pero es clara y resuena en mi interior como las letras de un clásico que no entiende de tiempo ni de distancia.

—De joven, en lo más alto de mi carrera profesional, había una pregunta muy recurrente que me hacían en las entrevistas: ¿cuándo cambió tu vida? Y mi respuesta era la misma, una y otra vez: el día que decidí que quería ser bailarina. Era lo que ellos querían escuchar y lo que yo necesitaba creer. Pero como una se harta de mentir, es justo para mi alma que al menos por una vez responda con sinceridad. El día que cambió mi vida para siempre no fue cuando mi padre, en un viaje a la ciudad, me llevó a ver el ballet con diez años, ni tampoco cuando acabé en esta maldita silla de ruedas. Fue muchos años antes: cuando el hombre al que amaba me dijo que escapara con él a Alemania y yo, por miedo, no lo hice. Imagina cómo de claro lo recuerdo que aún puedo sentir el frío del invierno sobre mis mejillas y el humo, el griterío y la energía electrizante que marcaba saludos y despedidas en aquella estación de tren. Y el beso... ese beso, Adrián, que me cortó los labios, la piel y el alma. Se llamaba Tomás —aprieto los dientes al escuchar el nombre de mi abuelo pronunciado por ella—. Y después, nada. Un frío que ya poco tenía que ver con las estaciones y contra el que traté de pelear hasta que ganó la batalla y logró que me conformara con cualquier atisbo de cariño.

»Así fue como conocí a tu abuelo: por despecho. Porque decidí que no merecía la pena seguir peleando por un amor en el que nadie confiaba. Sin darme cuenta de que hubiera valido con que nosotros hubiéramos tenido fe. Pero yo dejé de creer, nos traicioné a ambos, y acepté la mano de otro hombre que me necesitaba, más que quererme, y al que mi madre aprobaba. Un hombre que, tras los primeros meses juntos, empezó a quejarse de que nunca estuviera en casa, de que pasara largas semanas de gira con el ballet, de que no lo respetara y le estuviera haciendo sentir que no valía. Y yo cometí el error de confiarme y pensar que lo tenía todo bajo control, que era solo una etapa y que se le pasaría. Que los gritos nunca darían paso a las bofetadas, como así fue. O que el hecho de que quisiera un hijo era por el amor que me profesaba y no por las ansias que tenía de encerrarme en casa. Qué fácil es engañarse... Nunca estuve tan ciega, y te lo digo ahora que mis ojos dejaron de funcionar hace años.

»Para cuando Tomás regresó de Alemania, ya era tarde y yo estaba a punto de dar a luz. Nos escribimos durante los últimos meses de embarazo las que serían las últimas postales para despedirnos y no tener que vernos en persona. Entonces nació tu madre, y aunque durante esos meses me convencí de que había tomado la decisión correcta, en el momento en el que mencioné la posibilidad de volver a bailar, llegaron los golpes, las amenazas y las advertencias. Y cuando supe que ya no aguantaría más, huí con tu madre en brazos.

»Quedé con Tomás en su residencia para marcharnos juntos a primera hora de un jueves. Lo teníamos todo planeado. Seríamos fantasmas hasta alcanzar la libertad. Pero la vida tiene una cruel manera de jugar sus cartas, y el tranvía que tomé para ir en su busca sufrió un accidente cuando un conductor borracho se saltó un semáforo. Sólo tuve una preocupación en ese momento: salvar a tu madre. La envolví en mi cuerpo y la protegí como pude hasta que todo se oscureció —en este punto de la narración, ambos estamos llorando, aunque yo prefiero dejar que las lágrimas resbalen por mis mejillas sin secármelas porque no quiero que se dé cuenta—. Desperté en el hospital unos días después. Había perdido la vista y la movilidad en las piernas. El golpe contra uno de los asientos del tranvía había sido tan fuerte que mi columna se había partido como una rama seca. A tu madre no le pasó nada, pero cuando tu abuelo llegó al lugar del accidente y me descubrió con la maleta, ató cabos y comprendió que había intentado huir de él. Se llevó a mi niña y se aseguró de que no volviera a verla nunca más. La oscuridad nunca resultó tan profunda como cuando la ley le dio la razón.

»La siguiente vez que vi a tu madre, estaba embarazada de ti y solo vino para decirme lo miserable que había sido sin una madre que la criase y con un padre como ese. Yo no le conté la historia real y tampoco le pregunté con qué versión habría alimentado su memoria durante todos esos años. Dejé que me increpara y me condenara sin rebatirla, y cuando terminó, se fue —entonces se vuelve hacia mí—. Y no pienses que ahora te he contado a ti la verdad para que la compartas con ella. Hazlo si quieres, pero estás en tu derecho de guardar silencio como yo he hecho todo este tiempo. Tú no cargas con mi vergüenza.

Ahora debería confesarle quién soy en realidad y demostrarle que mi abuelo nunca la olvidó. Que guardó sus cartas y que siempre pensó en ella. Pero no me atrevo. Con todo lo que ha sucedido los últimos días, no podría soportar que Nora también se sintiera traicionada y me alejara de ella.

—Y Tomás… ¿vino a verte? —pregunto.

—Sí, pero no le permití que se quedara. Cuando supe en qué estado pasaría el resto de mi vida le prohibí que se compadeciera o que me siguiera queriendo. El dolor y la culpa me habrían impedido construir nada bonito con él. Le dije todo lo más cruel que se me vino a la cabeza para alejarle, le culpé de mi estado aunque no lo pensara realmente y al final lo conseguí. No volví a verle. Sé que se casó un tiempo después y me alegré mucho por él. Vivo tranquila sabiendo que mi desgracia no llegó a envenenar su futuro.

—Él te habría querido de cualquier forma —le digo.

—Lo sé. Y por eso valoro aún más que se alejara para no hacerme sentir culpable cada día de mi vida.

* * *

Como el lunes llego a clase con el tiempo justo, no tengo oportunidad de hablar con Ester hasta la hora del recreo. Llevamos todo el día con exámenes de las diferentes optativas y aún nos queda uno más después de la pausa. Estoy exhausto. Con las visitas a la residencia, solo he tenido posibilidad de estudiar por las noches, así que ahora mismo soy más zombi que persona y las ojeras me llegan casi hasta las comisuras de los labios.

Ester lleva evitándome desde la pelea en el gimnasio, pero necesito hablar con ella y demostrarle que no me importa lo que digan los demás. Aunque no quiera verme, Nora tiene razón: solo tenemos una vida y más vale estar orgullosos de nuestras decisiones cuando nos encontremos en la recta final.

Así que, decidido, me encamino hacia el aula donde dan Química. Pero antes de llegar, empiezo a escuchar gruñidos y risotadas que resuenan por el pasillo vacío y me temo lo peor, porque entre otras, reconozco la voz de Sergio.

—¿Ester...? —la llamo, corriendo hacia allí. Pero cuando empujo la puerta entreabierta, la imagen que me encuentro me deja sin respiración.

Mi amiga se encuentra en mitad de la clase, con los pupitres apartados a su alrededor, tirada en el suelo, de rodillas, mientras Sergio, que parece ya recuperado del balonazo del otro día, la tiene sujeta con el cinturón alrededor de su cuello, como si fuera un caballo salvaje. Ester trata de levantarse y agita la cabeza y las manos para liberarse. A su alrededor, dos chicos y su novia Lara aplauden y le animan a que aguante como si estuvieran presenciando un rodeo.

Tan entregados están al espectáculo que no me ven. Y por un instante, la rabia se apodera de mí. Pero durante un segundo, la parte lógica se impone sobre la animal y saco el móvil del bolsillo con manos temblorosas. A toda prisa, hago varias fotografías en silencio y después grabo un vídeo de un segundo, dos, tres, cuatro... pero antes de que llegue al quinto, no lo soporto más, y con lágrimas en los ojos, tomo impulso y me lanzo a por el chico mientras grito de rabia.

El tío me saca dos cabezas, pero llevo tal velocidad y tengo tantas ganas de hacerle daño, de liberar a Ester, de matarlo, que, cuando colisiono con él y mi cabeza se estrella contra su abdomen, los dos salimos despedidos contra la pared opuesta. Él recibe el golpe más duro, clavándose uno de los pupitres en el costado y soltando un alarido mientras cae al suelo. Yo voy detrás, pero como me ha amortiguado el golpe, en seguida me pongo en pie, con la respiración entrecortada y el cuerpo aún en tensión. Los otros chicos deben de ver algo salvaje en mi mirada, porque retroceden sin decir nada, sin burlarse siquiera, mientras Ester se tambalea hasta ponerse de pie. Tiene el cuello magullado por el cinturón y le cuesta no perder el equilibrio.

—¡Salid de aquí de una puta vez! —les grito. Pero como no parecen querer reaccionar, les lanzo la primera silla que encuentro. Por suerte, todos se apartan corriendo y se estrella contra la puerta, destrozando el cristal, que estalla en mil pedazos—. ¡FUERA!

Y ellos, por primera vez en la vida, me obedecen con los rostros desencajados por el miedo. Lara es la única que se acerca al imbécil que aún está en el suelo y le ayuda a escapar. El chico ni me mira cuando lo hace. Camina doblado, por el dolor. Solo pienso que ojalá le haya roto algo.

—Eres un idiota, Adrián —dice Ester, acercándose. Es la primera vez que la veo llorar—. ¿Qué has hecho?

—Lo que tenía que hacer… —respondo, y a continuación nos abrazamos.

Es así como nos encuentra el profesor que viene, alertado por los matones, que ahora se han convertido en víctimas asustadas y lloricas que nos acusan y nos señalan como si fuéramos monstruos. Como si no nos hubieran empujado ellos a serlo. La ira aún no me ha abandonado por completo y me cuesta mucho controlar las ganas de soltarle un puñetazo al chico que un minuto antes estaba sentado a horcajadas sobre Ester.

Media hora después me encuentro en la recepción del colegio, esperando a entrar en el despacho de la directora mientras mi amiga cuenta su versión de los hechos. Mis padres deben de estar a punto de llegar. Aunque tampoco creo que vaya a cambiar nuestra situación por mucho que explique lo que ha sucedido: al final, he empujado a un compañero contra una mesa, se ha fracturado una costilla y han tenido que llevarle al hospital. Además, he lanzado una silla contra la cabeza de sus amigos y he roto un cristal por el camino. Los hechos son los hechos.

Ahora que la adrenalina se ha disipado, comprendo la gravedad de la situación. Sin embargo, no me siento vulnerable ni arrepentido. Igual un poco avergonzado, de acuerdo, porque reconozco que se me ha ido la olla, pero esta sensación de libertad que me embarga no la había tenido jamás y es impagable. Me siento eufórico por dentro. Invencible. Confiado. Y solo por ver a Ester ahí dentro explicando cómo la tenían sujeta y mostrando las marcas en el cuello, sé que ha merecido la pena. Estoy harto de bajar siempre la cabeza y encogerme de hombros cuando veo algo que no me gusta.

—¡Adrián!

La voz de mi madre y el cloqueo de sus tacones por el pasillo me devuelven a la realidad. Mi padre viene detrás, con gesto hosco, molesto, como si le cabreara, no que me haya ganado una posible expulsión, sino que le hayan hecho venir.

Él me da un beso, pero ella no. Tampoco lo espero. En cuanto mi madre mira por el cristal del despacho de la directora y ve a Ester, entrecierra los ojos como si deseara tener rayos láser para fulminarla.

—Lo sabía —dice—. Lo sabía…

—La tenían acorralada —respondo, sin energía.

Cuando la directora termina con Ester y nos llama a nosotros, me siento curiosamente relajado. Al cruzarme con mi amiga, ella me sonríe y baja los ojos para no enfrentarse a mis padres.

—Qué pena. Qué pena… —dice la directora en cuanto nos quedamos solos, sin apartar los ojos de mí.

Que cómo he podido ser capaz de descontrolarme de esta manera. Yo, que había engañado a todos haciéndoles creer que era un alumno ejemplar. Dócil. Otra persona. Por un instante me pregunto si será así como se sentirá Nora cuando descubra que tampoco soy su nieto. Ni siquiera retengo lo que me está diciendo esta mujer, porque no merece la pena. Así que, cuando me pide que me explique, digo:

—Esos chicos estaban acosando a Ester —sueno tranquilo, porque lo estoy—. Lo llevan haciendo desde hace años, y hoy la tenían sujeta, de rodillas y con un cinturón en el cuello.

—Otra vez con la cantinela del acoso… —la directora chasquea la lengua, pero al verme alzar la ceja, añade—: En este colegio no hay bullying, Adrián. Lo sabes bien. De hecho, el año que viene esperamos obtener el reconocimiento como centro libre de acoso escolar. ¡Tú jamás lo has sufrido, que yo sepa!

—¿Él? —interviene mi madre—. Nunca.

La directora asiente para darle la razón.

—Y te honra que quieras proteger a tu amiga, pero poco vas a conseguir con mentiras como esa. Ester viene de una familia desestructurada, conflictiva.

—Eso mismo le digo yo... —asiente mi madre.

—Los profesores lo saben y yo también, y por eso hemos tratado de ayudarla en todo lo que hemos podido... pero no hay manera. Se niega a encajar, y a pesar de todos nuestros esfuerzos y de los múltiples avisos, Adrián, ha seguido haciendo lo que...

Su voz se va apagando paulatinamente mientras sus ojos enfocan la pantalla de mi móvil, que he sacado y le he plantado delante de la cara. El vídeo de la agresión a Ester se reproduce en un bucle infinito.

—Esto, directora, es acoso —digo, y cuando trata de agarrarme el móvil, lo guardo en el bolsillo—. Y Ester lo lleva sufriendo desde hace años, como le he dicho. Igual que yo, e igual que muchos otros chicos y chicas. Los principales matones son Sergio y sus amigos. Usted lo sabe bien, y los profesores también. Pero como los padres de esos chicos, igual que mis padres, son miembros muy valiosos para el colegio, hacen la vista gorda. Pero ya estoy harto. Si hoy me he lanzado contra él ha sido para detener lo que le estaban haciendo a mi amiga. Así que ahora mismo tiene dos opciones...

—¿Cómo? —la mujer se ha puesto roja y balbucea, incapaz de creerse que la esté poniendo un ultimátum. Mi madre me implora por favor que me calle, mientras que mi padre nos mira alternativamente a ella y a mí en silencio.

—Tiene dos opciones —repito, tras aclararme la garganta para que no note lo nervioso que estoy—: o readmitir a Ester inmediatamente, dejarla terminar el curso y hacer los exámenes que faltan y el que hemos perdido hoy, aparte de expulsar a los chicos que aparecen en el vídeo, o atenerse a las consecuencias cuando lo suba a internet y la gente reconozca los uniformes y el emblema del colegio.

—¿Qué…? Pero ¿cómo…?

No le respondo. Me pongo de pie y añado:

—Tiene toda la tarde de hoy para llamarla, disculparse por no haberle creído y avisarle que puede volver. Si no, mañana este vídeo y las fotos estarán rulando por todas las redes sociales. Y créame, dudo que vaya a costar que se hagan virales.

Advierto cómo le tiemblan los labios y la manera en la que me fulmina con los ojos.

—Fuera. Fuera de mi despacho ahora mismo —consigue articular, apoyando las manos en su escritorio.

Mi madre intenta mediar, pero se da cuenta de que la mujer habla en serio y opta por darle las buenas tardes y seguirme por el pasillo junto a mi padre.

Como cabe esperar, no me dirigen la palabra en todo el trayecto a casa. Pero cuando nos bajamos del coche, mi padre me pide que espere un momento y yo obedezco. Me da igual lo que me diga. He tomado una decisión y no pienso claudicar por mucho que me lo implore. Quizá por eso me sorprende tanto que lo que quiera sea abrazarme y darme un beso.

—Estoy muy orgulloso de ti —me dice al oído—. Lo que has hecho ahí por tu amiga ha sido muy valiente. Aunque no lo creas, tu madre también lo piensa. Siento no haber estado a la altura.

Lo primero que hago cuando llego a mi habitación es descargar los vídeos y las imágenes en el ordenador y mandármelas por correo para tener varias copias. Con suerte no hará falta utilizar el vídeo. Tampoco sé si sería capaz de difundirlo, como he amenazado. No podría soportar el dolor de Ester si lo sacara a la luz.

Después me tumbo en la cama a echarme una siesta.

¿Aceptará el trato?, me pregunto mientras me voy quedando dormido. No las tengo todas conmigo. Sé lo importante que es la imagen para este colegio y el daño que puede hacerles una noticia así, y más con lo sensibilizados que están los medios desde hace un par de años con el tema. Ojalá lo hicieran por moral y no por miedo, pero si esto ayuda a Ester, me da igual lo poco que valen sus conciencias. Tras este pensamiento, me quedo dormido.

No sé cuánto tiempo ha pasado cuando me desvela el timbre de la puerta principal y mi padre me pide desde su despacho que vaya a ver quién es.

Con desgana, me arrastro en calcetines por el pasillo y abro. Y de pronto, Ester está ahí.

—Oh, hola —le digo.

Ella se abalanza sobre mí y me abraza con fuerza. Tras el primer segundo de sorpresa, logro reaccionar y también la abrazo. Dejo que su cuerpo se pegue al mío. Mis manos comprueban que la piel de su cuello es tan suave y cálida como había imaginado y el aroma de su cabello se convierte en todo mi mundo. Por primera vez en días puedo respirar tranquilo, puedo sentirme yo mismo, puedo descansar.

Y sin saber cuándo hemos empezado a movernos, de pronto nuestros labios se van acercando hasta encontrarse a mitad de camino y fundirnos en el beso que llevo imaginando tanto tiempo.

Cuando nos separamos, está llorando.

—Gracias —me dice, y comprendo que el plan ha funcionado.

* * *

Tardo una semana en volver a la residencia. Entre los exámenes y los planes que surgen con Ester, no tengo apenas tiempo para ir hasta allí. Lo que sí que hago es llamar a Nora casi todas las tardes y preguntarle cómo le ha ido. No cambia mucho su rutina de un día a otro, pero ella tiene algo, un cierto magnetismo a la hora de contar historias, que me obliga a estar pegado al teléfono como si estuviera escuchando la aventura más asombrosa de todos los tiempos. Es la mejor narradora del mundo y yo, sin duda, su mejor oyente. Por eso, cuando el viernes siguiente la llamo y una de las enfermeras me informa con voz queda que no puede ponerse, me preocupo.

—¿Puedo ir a verla? —pregunto.

—Haz lo que quieras —responde ella, y cuelga al instante.

Ester me acompaña ese día. Durante todo el trayecto de autobús no me suelta la mano ni un segundo. Una parte de mí se da cuenta de lo mucho que echaba de menos realizar ese viaje acompañado, pero la otra... la otra se limita a observar el paisaje por la ventana y a bloquear el pensamiento que insiste en corroer mi esperanza.

—Te espero fuera —dice Ester, quedándose en la parada de autobús—. Como siempre. ¿Vale? Ven a buscarme si… ocurre algo.

Yo asiento y camino apresurado hasta la entrada de la residencia. En recepción, un auxiliar me pide que espere allí cuando le digo que quiero ver a Nora. Es la primera vez que no me indican dónde está para que vaya a buscarla. Me pongo aún más nervioso. Empiezo a caminar en círculos, concentrándome en las líneas que separan las baldosas y en las porciones iluminadas por la luz del exterior. No hay nadie más, y estoy tan concentrado en mi improvisado ritual que no me doy cuenta de que me están llamando hasta que levanto la mirada y me encuentro al mismo chico que viene a buscarme.

Tras él, veo a Nora en su silla de ruedas.

—¡Nora! —exclamo, pero en seguida me corrijo—: ¡abuela!

Ella esboza una sonrisa y le agradece su ayuda al hombre. Después me hace un gesto con la cabeza para que me acerque y salimos. Yo, más feliz que nunca de verla allí, empujo su silla y nos adentramos en el cuidado jardín mientras le cuento todo lo que ha ocurrido en los últimos días y la historia con Ester y los matones, a quienes la dirección optó finalmente por expulsar.

Ella asiente, orgullosa, pero noto que no me está prestando la misma atención de siempre, aunque desconozco la razón.

—El otro día estuve buscando entre mis cosas… —dice, de repente, y yo interrumpo mi relato y reduzco la marcha—. El tiempo me ha enseñado a no ser demasiado nostálgica del pasado porque a veces los recuerdos se convierten en anclas que nos impiden seguir a flote… pero encontré algo que quizá te interese conservar. Es de tu abuelo.

Levanta la mano del regazo y me entrega una fotografía en blanco y negro donde aparece de joven mi abuelo. Mi verdadero abuelo. Tomás. No lo ha preguntado, ni tampoco lo ha insinuado. Lo afirma. Lo sabe. Y yo noto que me falta aire, al tiempo que detengo la silla y me coloco frente a ella con los ojos vidriosos.

—¿Desde cuándo… lo sabes?

—Desde hace unos días —no hay ni rastro en su voz del reproche que siempre había imaginado que tendría el descubrimiento de la traición—. Le pedí a Coral que me ayudara a encontrar esta fotografía que me mandó tu abuelo desde Alemania. Pensé que te gustaría conservarla.

Estoy llorando. Y esta vez no lo oculto. Me sorbo los mocos y las lágrimas siguen cayendo hasta que una se estrella sobre la imagen y la seco con el bajo de mi camiseta.

—Lo siento mucho —digo—. No quería engañarte. Al principio, no sé cómo… Me confundiste y no quise corregirte. Y para cuando… ya era tarde. Lo siento…

Por primera vez, Nora se quita las gafas oscuras y alza la cabeza hacia mí. Sus ojos son dos esferas tan claras que apenas se distinguen los detalles azules de sus iris.

—Ha sido un placer ser tu abuela estos días, Adrián. Y te perdono, si es lo que necesitas escuchar. Pero lo que de verdad quiero es darte las gracias —me quedo en silencio sin entender a qué se refiere—. Hace más de cien años existió un escritor maliense llamado Ahmadou Hampaté Bá, que dijo: "Cuando un anciano muere, una biblioteca arde, toda una biblioteca desaparece, sin necesidad de que las llamas acaben con el papel". Y aunque él se refería a los ancianos africanos, es extensible al mundo entero. Si nadie escucha nuestras historias, Adrián, si nadie las recuerda, se pierden. Porque prácticamente ninguna vida está recogida en libros, ni guiones, ni poemas, aunque todas lo merezcan. ¿Lo entiendes? Tú quisiste escuchar mis historias, y gracias a eso no arderán cuando yo muera —Nora alarga el brazo y yo me acerco para que pueda acariciarme la mano como ya estoy acostumbrado a que haga—. Así que gracias. Eres un buen chico, y de corazón me alegro de que tu abuelo conociera a una maravillosa mujer con la que tener descendencia.

—Él siempre te quiso —digo, en un impulso—. Guardó tus cartas. Las postales y las fotos. Por eso te encontré… bueno, te encontramos. Ester me ayudó.

—Cada vez me cae mejor esa chica —responde ella—. Espero que pueda venir algún día.

—¡Sí, claro! ¡Ella también está deseando conocerte!

En ese instante, Nora alza la barbilla, como si algo hubiera captado su atención y un instante después se vuelve hacia mí, sonriendo.

—Ni que lo hubiéramos planeado… —comenta, sin que yo entienda a qué se refiere—. Adrián, a mí también me encantaría presentarte a alguien.

Me giro a tiempo de encontrarme con un chico joven, de pelo largo, que se acerca por el camino desde el edificio principal.

—Fue él quien me chivó tu secreto, no se lo tengas en cuenta —me dice la mujer, en tono de confidencia antes de que llegue junto a nosotros—. Gracias por enviarle la pista.

Yo le miro. Él me mira. Y no hace falta decir nada para saber que ambos nos hemos reconocido.

—Hola, Adrián —dice—. Hola, abuela.

Invisible
BENITO TAIBO

Para Alo y Loren, que no olviden nunca
que todos somos iguales.

Soy invisible desde que recuerdo. Desde muy pequeño. Levantaba el brazo en el salón de clases, en la escuela, y nunca la mirada de la maestra se posaba sobre mí, aunque en el fondo sabía que sabía. Esto es que la maestra sabía que yo sabía la respuesta y que sabía, aunque no me viera, que yo estaba allí, en la última fila.

Eran otros los que contestaban la pregunta, pasaban al pizarrón o recitaban el poema en voz alta.

Y yo bajaba el brazo y seguía concentrado en la clase, aprendiéndolo todo como una esponja a la que se le va acumulando el agua de la tina en su interior. Con la diferencia de que yo soy una esponja que no tiene fin, puedo aprender y aprender y aprender todo lo que los maestros van diciendo, los libros enseñando y las cosas de la calle mostrando, y siempre hay cosas nuevas por descubrir. Y aprendo mucho más rápido que los demás.

El problema es que todo eso se queda dentro de mi cabeza y no hay nadie que me dé la palabra cuando levanto la mano para contarlo. Aunque no desespero, soy invisible pero sé montones de cosas que me servirán muy pronto para lograr ser lo que se me antoje.

No sólo aprendo en la escuela. Mi abuela Itzel me cuenta historias desde que soy muy pequeño; ella dice que son ciertas y que tienen que ver con nuestro origen y de dónde venimos.

Mi abuela Itzel es indígena, yo lo soy también.

Y sabe cosas sorprendentes que deberían estar en los libros, pero que están en su cabeza. Ella dice que las aprendió de su abuela, y su abuela de su abuela, y así, hacia atrás, abuela tras abuela hasta el principio del principio de los tiempos, cuando sólo había mar calmo que cubría al mundo entero.

Fue justo cuando los dioses decidieron crear a los hombres porque ya estaban aburridos de estar sólo dioses en el mundo; un mundo lleno de agua. Y dijeron: "¡Que las aguas se vayan!". Y aparecieron la tierra, las montañas, la jungla. Después crearon a los animales; venados, serpientes, pájaros, jaguares.

Entonces sí, decidieron crear a los hombres. Y primero, dice la abuela, crearon al hombre de barro, pero no salió como querían: no tenía movimiento. Porque el barro se deshacía, o se rompía, o al secarse se desmoronaba.

Pero los dioses eran tercos y entonces decidieron hacer a los hombres con un material más resistente. "¡De madera!", dijeron, y pusieron manos a la obra.

Y fallaron de nuevo. Porque los hombres de madera eran resistentes pero no tenían alma, ni memoria, ni pensaban.

Los dioses mandaron un diluvio para acabar con los hombres de madera. Los que sobrevivieron se convirtieron en monos.

Y buscaron otros materiales, pero nada los convencía.

Hasta que vieron el maíz, blanco y amarillo. Y lo convirtieron en masa y moldearon a los nuevos hombres y mujeres. Y salieron bellos, fuertes, inteligentes, pensantes.

De allí provenimos. Somos de maíz. Mi abuela Itzel, su abuela, mis padres.

Yo, Canek, soy de maíz.

Y estoy muy orgulloso de serlo, aunque sea invisible.

En la escuela, algunos me llaman indio; no deben saber que los indios son de la India, pero tienen la oportunidad de aprenderlo. Todos los días se aprenden cosas nuevas, pero no seré yo quien se las enseñe.

No me ofendo. Soy invisible, y cuando quiero, también soy sordo. Y así, no los escucho.

Mi país es México. Pero además de mexicano, yo soy maya.

Canek en maya se escribe *Kaan Ek*, que quiere decir "serpiente de la estrella". El nombre de mi abuela Itzel significa "lucero de la tarde". Todos nuestros nombres tienen que ver con la naturaleza y con el mundo que nos fue heredado por los dioses.

Nací en un pueblo de Yucatán y llevo el nombre de un dirigente indígena llamado Jacinto Canek, que organizó una rebelión contra los españoles en 1761 en el poblado de Cisteil. Los indígenas eran maltratados y usados como esclavos por los españoles, por eso se rebelaron. Y duró poco la rebelión, más de seiscientos mayas fueron asesinados. Y también Canek, que fue ejecutado en la plaza pública de Mérida, la capital, el 14 de diciembre del mismo año. Pero lo recordamos. Y no olvidamos que tenemos un poco de su sangre en nuestra sangre.

Supongo que esos indígenas también eran invisibles. Pero además, a ellos los esclavizaban. A mí sólo me ignoran y a veces me insultan.

Las primeras palabras que oí en la cuna fueron en maya.

—*In Yacumech* —me decía suavemente al oído mi madre. Y yo sabía que me estaba diciendo que me amaba.

Todos los días, al salir de mi casa rumbo a la escuela, la abuela Itzel me dice *Kanantaba*. Y yo me cuido mucho, como ella me lo pide.

Hablo en maya y en español. Y en México se hablan 68 lenguas indígenas con 364 variantes. Así que somos varios millones los que podemos entendernos en más de una lengua.

En mi escuela sólo hablan español y nos dan clases de inglés. Pero nadie lo habla.

Así que si sigo como voy, a la larga podré darme a entender de tres maneras distintas.

No entiendo, a pesar de que vengo de una larga estirpe, con una enorme tradición cultural, que hablo dos lenguas, que leo más libros que ninguno, que no me meto con nadie, por qué demonios soy invisible.

Creo que es por el color de mi piel.

Y entiendo menos todavía.

Porque muchos de los que están a mi alrededor y no me hablan no son precisamente suecos. El tono entre mi piel y la suya no es tan diferente como ellos pretenden que es. En su sangre también hubo hombres y mujeres de maíz, como lo fueron mis ancestros, que se mezclaron con otras razas y otras costumbres.

Así que en el fondo, o más bien en el interior, somos un poco parientes aunque les duela.

Hace poco, en el salón, la maestra nos habló de Benito Juárez, el primer presidente indígena que tuvo nuestro país, en el siglo XIX. Y todos me voltearon a ver.

¿Habrá sido Benito Juárez, antes de ser presidente, un invisible?

Tengo un solo amigo desde que nos mudamos a la ciudad. Pero no va en mi escuela. No va a ninguna escuela.

Es un perro.

Y es el que sabe perfectamente que no soy invisible, porque desde que me ve llegar a la esquina de mi casa, sale a trote y se me lanza al pecho para llenarme la cara de lengüetadas repletas de saliva.

Le puse *Chel*, en maya, por supuesto. Quiere decir güero, rubio. Porque él sí lo es. Casi blanco. Es el único rubio que conozco, incluyendo a todos los que van en mi salón y en mi escuela.

Siempre guardo un poco de la cena para dársela a escondidas de mis padres. No somos pobres pero casi. A mi papá, que trabaja como albañil y le salen las paredes muy derechas y perfectas, no le ha ido muy bien desde que nos mudamos. Por lo visto a la hora en que deciden quiénes van a trabajar a este u otro lado y que se ponen en fila en una esquina donde los recogen en camionetas abiertas, a él también lo consideran un poco invisible.

Mi madre cocina en casa y vende en la puerta lo que cocina. Y cocina requetebién.

Hace panuchos y tacos de cochinita, que son comidas típicas de Yucatán. Pero por nuestra calle, que es de tierra, no pasa mucha gente, y aunque los tacos son muy buenos, no hay a quién venderle.

Mi papá no quiere que ella se vaya muy lejos de la casa porque sólo habla en maya y podría perderse.

Yo todas las tardes, cuando vuelvo de la escuela, le voy enseñando frases y palabras. Y poco a poco, va aprendiendo.

Yo no uso zapatos. Uso huaraches. Buenos, de cuero y cuatro correas.

Y todos, al llegar a la escuela, lo primero que me ven son los pies. Pero están limpios. Me baño todos los días aunque a veces no tengamos agua caliente. Y tengo las uñas cortadas y parejas, así que debe de ser por los huaraches. Ellos usan zapatos y tenis, pero son caros.

A mí me gustan los huaraches. Siempre tengo los pies frescos.

Pero en esta ciudad llueve un montón de días al año y tengo que andar brincando charcos para no mojarme.

La abuela Itzel vive con nosotros. El abuelo se murió hace años y no podíamos dejarla sola en el pueblo. Ella también cocina de maravilla y es capaz de hacer un banquete con cualquier cosa, empezando con los frijoles y las tortillas, que salidas de sus manos saben mejor que en cualquier lugar del mundo, o eso creo, no he estado más que en el pueblo y aquí.

Muchas veces me dan ganas de dejar la escuela para ir a trabajar con mi papá. Pero todos se niegan, empezando por él, luego mi madre, luego la abuela.

Dicen que la escuela es lo mejor que puede pasarle a alguien en la vida. Y seguro lo dicen porque ninguno de ellos fue nunca a la escuela y no saben lo que se siente ser invisible.

Nuestra colonia no es muy bonita que digamos. Pero tiene un parque donde no hay pasto y sí mucha tierra y que es donde se juntan a beber alcohol y a fumar droga todas las tardes los muchachos del barrio.

Allí, escondido entre unos cuantos árboles y matas peladas, hay un tesoro.

Un tesoro inmenso.

Una pequeña biblioteca pública que ha resistido el paso del tiempo y las pintas que han hecho en sus paredes.

Y hay un guardián del tesoro que se llama Alonso y que es tan viejo que ni siquiera sabe cuántos años tiene. Don Alonso. La biblioteca fue cerrada hace veinte años y él, por propia voluntad, la mantiene abierta todos los días, desde las 9 de la mañana hasta que se pone el sol, porque no tiene luz.

Don Alonso dice que los libros salvan a las personas y por eso abre todos los días, para ver quién necesita salvarse y ayudarlo.

A mí me salva.

Don Alonso es muy cariñoso y deja no sólo que lea los libros viejos que tiene en la biblioteca, sino que a veces me los presta y puedo llevármelos a la casa.

Viene muy poca gente a la biblioteca. Pero todos los que vienen, a leer o a hacer la tarea, son recibidos con la enorme sonrisa de don Alonso, que dice que en los libros está todo lo que sabemos los hombres y que por eso hay que aprovecharlos.

Allí hago la tarea. En una mesa que es iluminada por el rayo de sol que entra por la ventana enrejada todas las tardes. Me ayudo con una enciclopedia, y lo confieso, a veces también me ayuda don Alonso, que es casi un genio.

Para él, no soy invisible en lo absoluto. Desde que llego al parque, él me ve desde la entrada de su biblioteca, y cuando estoy lo suficientemente cerca, siempre dice lo mismo:

—Buenas tardes, don Canek. Bienvenido.

Y yo le contesto:

—Buenas tardes, don Alonso. Bienhallado.

Y los dos nos reímos.

Muchas tardes, don Alonso me pone sobre la mesa una fruta o un vaso de leche, sin decir nada. Y yo me la como o la bebo agradecido pero sin decir nada tampoco. A veces sobran las palabras cuando los gestos de las buenas personas son así de fuertes e importantes.

A veces me quedo viendo por la ventana la buganvilia que florea en un estallido de color por primavera. Y pienso.

Y pienso que tal vez sea invisible porque soy indígena.

Una vez se lo dije a don Alonso y él se enojó muchísimo. No de que se lo dijera, sino de la forma en que me tratan en la escuela.

—Este país es suyo. Desde antes de la Conquista. Son sus tradiciones y sus culturas lo que lo mantienen vivo. ¡Voy a ir a hablar con la directora!

Y yo le ruego que no lo haga. Uno mismo debe arreglar sus problemas. No quiero además de todo que digan que soy un rajón o un cobarde.

Una vez en el recreo me empujaron por detrás, a propósito, dos niños más altos. Caí al suelo y me abrí los labios.

Y fui a la dirección. Donde me dieron algodón y alcohol que me ardió hasta el alma y un consejo que jamás olvidaré.

La directora, muy quitada de la pena, me dijo: "No jueguen brusco", y por más que le expliqué que no estaba jugando a nada, y que me empujaron a traición y con mala fe, ella sonreía y volvía a decir lo mismo.

Desde entonces, en cada recreo, me quedo sentado contra una pared, para que nadie me empuje. Y nadie se acerca. Ni maestros ni alumnos. Soy un invisible sentado contra la pared. Atento a los balonazos que de repente me dirigen y que esquivo con facilidad.

Le pregunté a la abuela Itzel cómo se dice invisible en maya.

Y ella cerró los ojos largo rato intentando recordarlo, hasta que me dijo:

—No existe la palabra en maya. O por lo menos yo no me la sé.

Será entonces que entre los mayas todos nos vemos a los ojos y nos reconocemos como iguales.

Así debería ser con todos los seres humanos. Tenemos cabeza, ojos, piernas, brazos. ¿En qué somos diferentes?

Las pocas veces que puedo pasar al pizarrón para contestar una pregunta o resolver una operación matemática, me siento invencible. Capaz de todo. Oigo un murmullo a mi espalda y no me importa.

Me visibilizo. Y voy armado con la más poderosa de las armas. El gis, o la tiza, como la  llaman en otros países. Esa espada hecha de yeso, el mismo material con el que mi papá recubre las paredes para que sean blancas.

Y que puede, en buenas manos, dar todas las respuestas del universo.

Siempre traigo un trozo en la bolsa. Y puede, como dije, hacer números, letras, dibujar aviones para irse a otra parte, flores blancas, puertas, ventanas.

Mi gis es mi capa de visibilidad. En cuanto me la pongo sobre los hombros, soy yo, y todos, aunque no quieran, me ven. Porque hasta ahora, he podido contestar todo lo que los maestros preguntan, sin dudarlo.

He leído historias donde la gente quiere hacerse invisible para husmear en la vida de los demás, para robar secretos, para pasar a lugares prohibidos.

Alguien debería escribir la historia de la capa visible.

Y que de repente, en el laboratorio donde se descubre la cura contra el cáncer, apareciera un muchachito de la nada y se pusiera a aplaudirles a los científicos que lo lograron.

Si nadie la escribe, tendré que hacerlo yo mismo.

Por lo pronto, armado con mi trozo de cal, contesto en el pizarrón eso que nadie sabe. Y luego me regreso a mi lugar, a seguir siendo quien soy.

Acabo de cumplir quince.

Sólo hablo con mis padres, mi abuela, don Alonso. Casi no conozco mi propia voz.

Nos está yendo un poco mejor. Papá me ofreció comprarme unos zapatos, pero le dije que no. Que mejor ahorraran para mejorar la casa en que vivimos. Ya le está poniendo piso durante los días que no tiene que salir a trabajar. Yo puedo vivir y caminar como siempre con mis huaraches, que se han vuelto parte de mi identidad.

Oí decir en una conversación entre dos adultos que estaban fumando a un lado de la biblioteca que los niños son crueles por naturaleza. No estoy seguro de ello, creo que la crueldad se aprende con lo que ves en tu casa, en la calle, en la televisión y así se establece una competencia de crueldades. Los niños son un reflejo de lo que sus padres son. Y los hijos de esos niños serán un reflejo de sus padres. A menos que haya algo que los transforme, que les abra los ojos, que los haga encontrar un camino nuevo y distinto. Creo que soy invisible, no porque los que estén a mi alrededor sean los que lo determinen. Soy invisible porque soy diferente.

Y no hay nada que le dé más miedo a la gente que lo diferente. Están acostumbrados y se sienten muy cómodos con sus creencias heredadas, con su forma de vivir heredada, con sus frases hechas heredadas. Y todo lo que no se parezca a eso que piensan y que creen con los ojos cerrados les da pánico.

Si abrieran un poco, tan sólo una rendija, los ojos, se darían cuenta de que el mundo entero es diverso y diferente, que no todos creen en los mismos dioses ni aman de la misma manera, ni comen lo mismo ni se entretienen con los mismos juegos. Y no por ello, esos que no son iguales, son el enemigo. Tan sólo son otros como ellos mismos, de otro color, con otra religión, con otros gustos.

Es más fácil hacer que un perro hable, a hacer que alguien piense diferente a como piensa.

Por eso leo tanto como leo. Porque en los libros hay tantas maneras de pensar como estrellas en el cielo. Pensándolo bien, tengo muchos más amigos de los que creía. Peter Pan y Wendy, Aristóteles y Dante, Jo, Sandokan, el capitán Nemo y otros tantos que me han dejado entrar a sus aventuras y convertirme en ellos sin dejar de ser yo mismo, visitando lugares lejanos y exóticos y conociendo formas y costumbres diversas.

Don Alonso, muy misterioso, trajo envuelto el otro día en un periódico, un libro. Me di cuenta inmediatamente de que era un libro por su forma rectangular, y sin embargo le seguí el juego cuando lo puso sobre la mesa de la biblioteca.

—¿Qué crees que hay aquí? —me preguntó.

—¿Un elefante?

Y eso se lo dije porque me acordé de *El Principito*.

—No. Otra oportunidad.

—Unos calcetines.

—¡No! Además, tú no usas calcetines.

—No uso.

—Último chance.

—¡Un libro!

Y con una sonrisa de oreja a oreja, rompió el papel periódico para mostrarme el prodigio.

Harry Potter y la piedra filosofal, de J.K. Rowling.

Yo ya había oído hablar de Harry Potter, por supuesto. Y que había incluso películas donde salía. Pero jamás había entrado a un cine. Y en la escuela nadie tenía dinero para comprar un libro tan caro como ése.

—Guau —dije, imitando a *Chel*.

—Es tuyo —dijo don Alonso—. El primer libro de lo que será tu biblioteca.

Estuve a punto de echarme a llorar. No tengo idea de dónde sacó el libro y por qué decidió dármelo. Me eché sobre él y lo abracé lo más fuerte que pude. Nunca había abrazado a alguien que no fuera de mi familia. Yo no lloré, pero don Alonso sí.

—Eres un buen muchacho y llegarás muy lejos —me dijo, sacando su pañuelo amarillento del bolsillo trasero de su pantalón.

Cuando llegué a casa y conté lo sucedido, mi mamá decidió que al día siguiente yo le llevaría a don Alonso una comida típica hecha por ella para agradecerle. Y mi papá, sin decir nada más, fue por una tabla y la puso horizontalmente en mi pared, en el cuarto que comparto con la abuela, con dos clavos enormes.

—Para tu biblioteca.

Y allí puse el libro de Potter. Puedo decir con gusto que fue tal vez uno de los mejores días de mi vida.

Tal vez de todos los inventos hechos por el hombre, que son muchos y muy buenos, el que a mí más me gusta sea bastante sencillo y hasta humilde, y me refiero al lápiz.

Tengo un lápiz especial, regalo de mi madrina cuando vino a visitarnos hace seis meses. Me dio dos, pero el otro lo tengo guardado para cuando se acabe éste.

Es mi varita mágica, como la de Potter, pero en vez de hacer conjuros y convertir cosas en otras, la mía está llena de palabras, las que me sé de memoria y las que aprendo todos los días. Cada vez que oigo una palabra nueva, diferente, rara, saco mi varita y la apunto en la pequeña libreta de tapas rojas que también me dio mi madrina. Y ésta se llena de magia, magia buena que sirve para entenderse con los demás y para entender al mundo que nos rodea. Somos animales, como dice la maestra de biología, es cierto, pero somos animales que soñamos y que podemos leer y escribir, y eso nos hace ser únicos.

Ahora mismo, escribo esto que escribo con mi lápiz. Pero revisando la libreta, encuentro palabras como *arcaico*, que quiere decir antiguo; *cromático*, que tiene que ver con los colores o con algo relacionado a ellos; *astrolabio*, instrumento de navegación que usa a las estrellas como referencia;

amor, eso que estoy sintiendo en este momento y que no se lo contaría a nadie ni por todo el oro del mundo.

Se llama Susana, pero todos le dicen Susy. A veces me sonríe, prueba de que no soy invisible. Pero lo cierto es que le sonríe a todo el mundo y por lo tanto es probable que no valga. Es morena, tiene una trenza larga y apretada con un lazo rojo, los ojos grandes y la voz perfecta. Cuando lee en voz alta, yo me voy por la ventana y viajo a donde ella me diga.

Cada vez que la veo suspiro. Pero lo hago para adentro, con el fin de que nadie lo note. Con mi lápiz mágico le he escrito poemas, pero me da mucha vergüenza enseñárselos a cualquiera. Esas cosas son de uno y uno debe guardárselas para, llegado el momento, contarlas con todo su esplendor.

Es la única del salón y tal vez de la escuela que lee tanto como yo. Siempre está con un libro entre las rodillas en el patio, a la hora de los recreos. Y siempre dirijo mis pasos hacia ella para preguntarle qué lee, y a los pocos metros me desvío. Nunca he podido llegar lo suficientemente cerca, y además dudo mucho que me saliera ni siquiera un hilo de la voz.

Estar enamorado es terrible.

Se te quita el hambre, no puedes dormir, sientes mariposas en el estómago. Todo el tiempo te hueles las axilas para estar seguro de que hueles bien, te revisas las uñas de las manos y los pies, te pasas a cada rato la mano por el pelo rebelde. Una pesadilla, pues.

Y Susy sonríe.

Y yo me derrito.

La veía sentada en el patio con su libro entre las piernas, cuando de repente sentí una mano en la espalda. Pensé que me iban a empujar y me afiancé al suelo.

—Me llamo Antulio —oí detrás de mí.

¡Alguien me hablaba! ¡Un milagro!

Giré lentamente la cabeza. Era uno de los nuevos, chiquito pero pesado; cuando digo esto quiero decir que Antulio tiene más peso que altura, y eso que es alto. Es redondo. Lleva un mes en la escuela y ya ha sido blanco de todos los escarnios. Le gritan "¡gordo!", "¡seboso!", "¡cachalote!". En mi escuela no hay límite para los insultos. Él escucha y no dice nada. Antulio no es invisible como yo, pero la pasa incluso peor que yo.

—Canek —dije y le puse la mano abierta al frente.

Y él, sin dudarlo un instante, me la apretó con fuerza, de arriba abajo, muy ceremonioso.

—¿Te gustan los sándwiches de jamón y queso? —me pregunta.

Sólo los probé una vez, en una fiesta de cumpleaños en mi pueblo. Y sí, me gustaron. Pero no tengo tiempo de contestarle.

—Tengo dos —dice, y sin pensarlo me pone uno en la mano.

Compartir comida es sin duda la mejor manera de forjar una amistad. Desde ese día, vamos juntos a todas partes; él me ha invitado a su casa a ver la televisión y yo lo he invitado a la biblioteca de don Alonso. No quiero que vaya a mi casa hasta que mi padre termine de poner los pisos, que será muy pronto. Todos los días me da uno de sus dos sándwiches. Así, dice, come menos.

Es tan buen lector como yo, y además tiene un montón de libros en su casa. Me deja llevarme uno por semana y ya me ha regalado tres que tenía repetidos. Por lo tanto, mi biblioteca personal ya tiene cuatro libros. El de Harry Potter, *Las batallas en el desierto*, de José Emilio Pacheco; *El señor de las moscas*, de William Golding; y *Veinte mil leguas de viaje submarino*, de Julio Verne. Los estoy guardando para vacaciones, que es cuando don Alonso se va a visitar a uno de sus hijos en la frontera y no abre la biblioteca.

Vamos creciendo, lo noto.

Él también se ha fijado en Susy, y a diferencia mía, un día se acercó a ella con total desparpajo, se presentó, le dio la mano vigorosamente como acostumbra, y luego me la presentó como si fueran amigos de toda la vida.

Y resultó que ella también sufre bastante la escuela. La consideran rara, "freak" (como dicen), extraña. Eso es porque lee todo el tiempo y no se la pasa hablando mal de los demás. Es divertida y muy simpática, y sabe montones de cosas.

Ahora resulta que los invisibles somos muchos y ni siquiera lo sabíamos. Unos por pobres, otros por gordos, otros por raros, otros por el color de la piel. Los crueles siguen siendo crueles.

***

De mi lápiz mágico han salido montones de historias que voy anotando cuidadosamente y sin apretar demasiado sobre el papel para que me dure lo más posible. Dicen Susy y Antulio que voy a ser escritor. Yo no lo creo. Más bien, tendré que ponerme a trabajar lo antes posible para poder ayudar a sacar adelante a mi familia. Pareciera que en este país los pobres están condenados a ser pobres toda la vida. Y lo único que nos puede ayudar a veces es la educación. Yo quiero llegar hasta la universidad. Pero puedo estudiar por las mañanas y trabajar por las tardes, como hacen muchos.

Hay un concurso de cuento en la ciudad. Susy insiste e insiste que mande uno de mis trabajos pero me da mucha vergüenza. Pero no hay quien se resista a Susy y su insistencia. Casi me lo arrebata de las manos y luego lo pasó a computadora en el taller de la escuela. Sacó tres copias. Puso como seudónimo "Chel" y yo me reí mucho. Y lo fue a llevar a donde los recibían.

Si yo llego a ser escritor, ella seguro será editora, por lo menos.

No voy a hacer el cuento largo. El cuento corto es que gané el concurso en mi categoría (menores de 18).

Y me dieron cinco mil pesos (¡una fortuna!). Y publicaron un librito con todos los ganadores. El quinto libro en mi biblioteca. Le di uno a Susy y uno a Antulio. Y por supuesto llevé otro a la biblioteca de don Alonso. En la escuela no dije nada. A veces es mejor ser invisible.

Puse en manos de mi madre el dinero en cuanto lo recibí. Ya tenemos piso, camas y estufa. Nuestra casa siempre ha sido un hogar, y ahora es un hogar mucho más cómodo.

Mamá insistió en comprarme unos zapatos, sobre todo para la época de lluvias. Y acepté. He de decir que paso menos frío en los pies, pero no acabo de acostumbrarme del todo. A *Chel* le tocó un plato grande de arroz con retazos de pollo. Todos ganamos algo en esa aventura.

Mis padres y la abuela están muy orgullosos de mí y yo de ellos. Si estamos juntos como hasta ahora, nada nos faltará.

El mundo es un lugar difícil, sin duda, pero hay siempre alrededor gente buena con buenas intenciones, tan sólo hay que dejarlos llegar hasta ti, por más diferentes que sean, escucharlos, darles la mano, hacer juntos comunidad. No somos islas. No debemos ser islas.

Estando juntos, Susy, Antulio, yo, la vida es más divertida e incluso la escuela más llevadera. Siempre estamos los tres en los primeros lugares de aprovechamiento escolar y hemos dejado de ser invisibles para convertirnos en directamente odiados. Cada vez que saco un diez, hay más y más encono a mi alrededor. Antulio propuso una tarde que reprobáramos de vez en cuando alguna materia para congraciarnos con el resto. Es ridículo. Yo quiero tener una beca en la preparatoria y con mi historial perfecto es más que probable que lo logre. No voy a bajar el promedio para que alguno me sonría.

La biblioteca del parque lleva varios días cerrada.

Es muy extraño. Y no hay forma de preguntar, porque no conocemos a ningún familiar de don Alonso; siempre estaba solo y no hablaba de nadie, más que de sus queridos libros.

Debe de estar enfermo.

Y la misma noche en que escribí esto último en mi cuaderno, vinieron a tocar a nuestra puerta. Una mujer que preguntó por mí. Mis padres se inquietaron pensando que me había metido en algún lío. Me llevaron hasta la puerta y ella me dio un sobre y unas llaves. Dijo que era por encargo de su tío Alonso, que había fallecido hacía tres días.

Me eché a llorar desconsoladamente. Una garra me apretaba en el pecho y no quería soltarme. Que muera alguien cercano es terrible. Sientes que hay un hueco dentro de ti que es imposible de llenar.

Cuando me tranquilicé, abrí el sobre. Era una nota. Muy escueta. Muy a su estilo.

Querido Canek:
Para cuando leas esto, ya no estaré.
La biblioteca tiene que abrir después de que salgas de la escuela y hasta que se ponga el sol.
Te la encargo.
Hay muchos que merecen ser salvados.
Te abrazo.

Alonso Quijano.

Y así fue como me hice guardián del tesoro, sin proponérmelo siquiera.

Después de comer, abro la biblioteca y en cuanto el sol baja y ya no se puede leer, la cierro con llave y me voy a mi casa. Muchas tardes me acompañan mis amigos y otras tantas aparece por allí alguien que con curiosidad absoluta toma un libro y se sienta cómodamente a disfrutarlo, sin tener que llenar fichas o cumplir con cualquier otro requisito, como a él le hubiera gustado.

Entre Susy y yo hicimos un letrero y lo colgamos en la puerta.

Dice: "Biblioteca Salvavidas. Alonso Quijano". Un homenaje a su memoria.

Ya he ido un par de veces al cine, y Antulio, metódicamente (ésta es una de mis palabras nuevas), me sigue dando todos los días uno de sus sándwiches.

***

Mi país tiene una de las más altas tasas de desapariciones en el mundo. De repente, un par de jóvenes van caminando por la calle, aparece una camioneta en sentido contrario y los suben a golpe de pistola, se los llevan. Nunca se vuelve a saber de ellos.

En el barrio ya ha sucedido más de una vez. Son los traficantes de drogas que están en guerra, contra el estado, contra todos nosotros y contra otros como ellos. Y no creo que esto se vaya a terminar pronto.

Por lo pronto, somos cada vez más cuidadosos.

Nunca vamos solos y por las noches nos quedamos en casa.

Es triste que la juventud de un país tenga que encerrarse en sus casas por miedo.

Pero es más triste que los que dirigen ese país no hagan nada al respecto.

***

Estábamos en clase de biología cuando comenzó a temblar. Primero un suave balanceo que se fue haciendo cada vez más fuerte y poderoso. Crujían puertas y se rompían ventanas. Caían del techo trozos de yeso e incluso pedazos de ladrillos.

En México tiembla, y por ello estamos un poco más acostumbrados que en otras partes del mundo. Cada tanto se hacen simulacros para aprender cómo salir de los edificios e incluso quedarse dentro en la zona más segura. Todo ello después del terremoto de 1985, que cobró miles de víctimas y que nos dejó desolación y una nueva cultura de protección civil.

No corro, no grito, no empujo. Ésas son las tres frases que debemos tener en la cabeza cuando comienza a temblar. En el último simulacro logramos desalojar la escuela en tres minutos y unos pocos segundos. Los brigadistas, que saben de estas cosas, nos dijeron que teníamos que ser más rápidos y más eficientes.

En cuanto comenzó el temblor, el maestro, haciendo gala de sangre fría, pidió que fuéramos saliendo del salón en orden y con cuidado, sin correr, sin gritar, sin empujar. Y salimos corriendo, gritando y empujando. Cada vez arreciaba más el movimiento, los crujidos, las caídas de trozos de techo y rotura de cristales.

Las escaleras se movían como chicle mientras bajábamos. Yo buscaba a Susy y a Antulio con la mirada en ese remolino de muchachos llenos de pánico que intentaban salvar sus vidas, pero sin éxito.

Cuando llegamos al patio, nos pidieron replegarnos hacia la zona de seguridad en el centro. Muchos lloraban y otros de rodillas rezaban a gritos.

Miré hacia la escuela de dos pisos que se bamboleaba peligrosamente.

Hasta que el piso de arriba cayó, como un pastel cuando se desinfla, sobre el de abajo.

Y una nube de polvo nos cubrió a todos.

Lentamente el movimiento fue parando.

Había a nuestro alrededor un silencio inmenso.

Yo miraba el desastre como si fuera una cruel pesadilla.

Y de repente sentí que alguien me tomaba de la mano: Susy, a la que sólo le vi los ojos porque el resto era una masa de polvo gris.

—¿Antulio? —me preguntó al oído.

—No sé —respondí—. Creo que tenía clase en el laboratorio. En el sótano.

La entrada al laboratorio estaba obstruida con piedras y trozos de pared.

Empezamos a oír los gritos de los maestros.

—¡A la calle! ¡A la calle! ¡Todos a la calle!

Y una fila de muchachos y muchachas espantados fueron saliendo de entre la polvareda hacia la puerta.

No podía dejar a Antulio. Mi primer amigo. El único que se había dado cuenta en toda esa escuela de que yo no era invisible.

Me solté de la mano de Susy casi en la puerta y aprovechando la confusión y el estrépito me dirigí hacia el polvo.

—¿A dónde vas? —dijo, como un lamento.

—No tardo. ¡Sal!

Mi voz no era mi voz, era la de otro más fuerte y poderoso que yo mismo. Alguien acostumbrado a hacer cosas insospechadas.

Caminé algunos metros con los ojos cerrados, con las manos al frente para no chocar contra nada.

Y llegué.

Y en el centro del patio, como si fuera el ojo de un huracán, estaba mi amigo viendo con ojos desmesuradamente abiertos el desastre. Corrí a abrazarlo. Temblaba de pies a cabeza, también cubierto de polvo.

—¿Los demás que estaban en el laboratorio? —pregunté.

—Salimos todos en cuanto comenzó a temblar —atinó a responder con un balbuceo.

Lo tomé del hombro y empecé a llevarlo hacia la salida. Él se resistía. Empujarlo era una tarea titánica si no quería dar un paso más. Se plantó como un árbol. Yo no entendía nada. Íbamos hacia la luz, la salvación, la calle.

—Falta la maestra Rosaura. A ella no la vi salir. Nos fue sacando de uno por uno mientras caían cosas por todos lados y empezaba a oler a gas.

—Voy a buscarla —dije, convencido.

—Yo no puedo.

Lo palmeé en la espalda. No era momento para recriminaciones inútiles. No todo el mundo responde igual ante situaciones extremas.

—Te quiero.

—Yo a ti.

Fue la primera vez que le dije eso a alguien que no fuera de mi familia.

Fui hacia el laboratorio. Un trozo enorme de pared se había desprendido, dejando ver uno de los salones del primer piso al aire. Esa pared taponaba la puerta del laboratorio. Excepto por un hueco en la parte inferior derecha. Me fui acercando lentamente, pisando cascotes y un mundo de basura salida de quién sabe dónde. Olía mucho a gas. Me deslicé por el hueco con dificultad. La oscuridad era casi total.

Pude arrastrarme hasta que sentí una oquedad encima de mí. Un par de mesas habían detenido la caída del techo. La maestra Rosaura estaba allí, en medio del desastre, acurrucada, llorando quedamente en la penumbra.

—¿Maestra? Soy Canek. Vamos a salir los dos.

Ella no se movía. Se balanceaba sobre su cuerpo como una niña que quisiera dormirse.

Le puse una mano sobre su mano.

—¡Ahora mismo! —grité.

Mi voz me asustó. Y a ella también. Le estaba ladrando una orden. Definitivamente no era yo.

Abrió los ojos y me miró como si fuera un fantasma. Pero se aferró a mi mano. Estaba milagrosamente entera.

Yo empezaba a marearme con el olor del gas de las tuberías quebradas. Sentía ganas de vomitar.

Me fui arrastrando hacia la luz, con la mano de la maestra agarrada a mi mano.

Llegamos hasta el agujero y yo empecé a salir, soltándome de su mano. Ella no cabría jamás.

—Ahora vuelvo. Voy por ayuda.

—No me dejes sola, Canek —imploró.

Y en ese momento, como si fuera magia, la pared que teníamos frente a nosotros desapareció. Se derrumbó hacia afuera, literalmente.

Fue Antulio, que usando todas sus fuerzas empujó hasta lograrlo.

Entre los dos logramos poner en pie a la maestra Rosaura y llevarla a la salida.

Nos la arrebataron de las manos dos camilleros que estaban al pie de una ambulancia en la calle y que inmediatamente la acostaron en el vehículo.

A mí me faltaba un zapato. Y en la mano tenía una piedra pequeña y negra que no sé de dónde saqué y que no había soltado nunca. Un recordatorio de que estaba vivo. A partir de entonces, mi amuleto.

Alrededor de nosotros comenzaron a aplaudir. A abrazarnos aquellos que hacía unas horas todavía nos veían con absoluto desprecio.

—Mi zapato. Voy por él —y me di la media vuelta.

Me sostuvo la directora. Me dio un abrazo que casi me rompe una costilla.

Y no me dejó entrar por el zapato.

Los que entraron fueron los bomberos, brigadistas de rescate, policías.

No murió nadie, afortunadamente, pero la escuela quedó muy dañada. Estuvimos casi tres meses sin clases.

Volví a mis huaraches.

Cuando regresamos, nos trataron como héroes.

Nos palmeaban la espalda en el patio, todos nos sonreían, todos querían estar cerca de nosotros.

Así fue un tiempo. Hasta que olvidaron el temblor, y la normalidad, como un monstruo de mil cabezas, volvió a caer sobre nosotros.

Y cesaron las palmadas y las sonrisas.

Nosotros seguimos siendo quienes fuimos. Tres amigos. Abriendo la biblioteca todas las tardes y cerrando al filo de la noche, compartiendo sándwiches y lecturas.

Somos ahora unos héroes, invisibles.

Pero ya no nos importa.

El abrigo rojo

FA OROZCO

17 de octubre

Mis papás siempre fueron nuestros mejores amigos. En cuanto a mi hermano, a pesar de que Raúl era problemático desde chiquito y terminó huyendo de casa precipitadamente, nos entendíamos muy bien. Tal vez sabía que de seguir ahí nunca iba a ser feliz.

Ya escribí un montón sobre papá, pero esa carta no es para ti, pues tú tendrás la dicha de conocerlo y crecer con él. A pesar de que es algo que ya viví, me encantaría hacer todo esto de nuevo: correr, andar en bicicleta, ver las caricaturas por la mañana con él a un lado, ayudando, observando o ignorándome por completo, con la cabeza metida en el periódico; aun así, era mi compañía.

Tampoco te voy a hablar de tu padre, porque también a él podrás disfrutarlo muchísimo. Ya son grandes amigos, así que me puedo imaginar muchas historias y anécdotas que construirán juntos.

Es a mi madre a quien no conocerás. No sé cuántos años tendrás cuando leas esto, ni en qué creerás o no entonces, pero te lo diré: el universo la llamó de regreso mucho antes de lo que pensábamos. Siempre hubo algo en ella que, de alguna forma, nos hacía saber que únicamente nos la estaban prestando; incluso mi padre lo sabía. Era majestuosa, dulce y sabia; llena de errores y ratos malos, pero nada le quitaba el aura luminosa que la rodeaba. Mi madre era un regalo para todos nosotros.

Cuando el momento llegó y tuvo que marcharse, a pesar del sufrimiento que nos causó, estábamos tranquilos. El tiempo que estuvo con nosotros, no importa si fue poco o mucho, fue valioso y aprendimos lo que tenía que enseñarnos.

Mi infancia estuvo llena de abrazos y coscorrones. Aunque los abrazos siempre ganaron, pues mis padres eran fieles creyentes en el amor; solían decirnos que el amor podía con todo, así que hasta los coscorrones venían con un toque especial. Mis papás no eran literales, mamá era fanática de las metáforas, los acertijos, dejarte con la duda por años, hasta que sus hijos supieran descifrarlo por sí mismos. Las mayores lecciones que recibí de ella se sentían como las dos cosas a la vez: un abrazo y un coscorrón.

En la casa estábamos inundados de revistas, papá y mamá leían todas las que se encontraran. Desde los chismes más superficiales hasta los estudios científicos más complejos y minuciosos, siempre acompañados por uno de los cuatro diccionarios Larousse que les habían obsequiado con las suscripciones a tanta publicación.

Papá leía en silencio, es gran fanático del silencio, mientras mamá… pues digamos que cada que leía una revista, todos la leíamos al mismo tiempo.

No recuerdo bien el lugar ni mi edad, pero en cierta ocasión mamá se encontraba leyendo algún número sobre príncipes y princesas, y por supuesto, yo escuchaba atentamente cada palabra tratando de no interrumpir. Era la historia de un rey europeo que, cumpliendo sus nobles deberes, se encontraba en un carro saludando y sonriendo cuando, en medio de la multitud, vio a una mujer bellísima, sólo que no vio precisamente a la mujer, sino su figura envuelta en un abrigo rojo, y después, a ella.

Le pidió a su canciller que investigara sobre su paradero y su familia, porque se había enamorado y quería que fuera su esposa y, por consecuencia, la reina.

Esta historia quedó tatuada en mi mente el resto de mi vida. Por las noches veía el techo de mi cuarto y sólo podía pensar en el abrigo rojo y en lo importante que había sido pues, como decía el autor, "no vio a la mujer, vio el abrigo rojo y después a ella". Ese abrigo rojo se convirtió en un sueño. Me preguntaba cuándo llegaría el día en que podría tener mi propio abrigo rojo.

Debieron pasar seis o siete años desde que había escuchado aquella historia cuando cumplí once, y mi madre decidió que, además del obsequio que recibí de parte de mis hermanos, ya tenía edad suficiente para elegir mi propio regalo. Me llevó a una tienda departamental enorme. En cuanto pusimos un pie adentro, dijo:

—Entonces… ¿qué es lo que quieres?

Vi el mundo de posibilidades y lo único que realmente quería era un abrigo rojo.

—¿Un abrigo? ¿No quieres un juguete? Hoy puedes elegir lo que tú quieras.

—Quiero un abrigo rojo —insistí.

Y fuimos en su busca. Aquel abrigo que había vivido durante años en mi mente. Fracasamos en esa tienda y en la que le siguió, hasta que en la tercera encontramos *El* abrigo rojo. Era perfecto; el tono de rojo preciso, era justo de mi talla.

Mientras me veía en el espejo de la tienda, mamá soltó su curiosidad:

—Cariño, ¿por qué quieres un abrigo rojo?

Le platiqué de aquella historia que leyó en voz alta y por supuesto no recordaba, de cómo el rey encontró a su reina porque ella llevaba el abrigo rojo. Resaltó en la multitud y así pudieron verse. El rey (o príncipe o lo que fuera) encontraría a su reina (o princesa o lo que fuera) si ella usaba algo, como un abrigo rojo, para resaltar.

Mi madre siempre fue una mujer muy prudente, sabía que había un momento para todo: para celebrar, discutir, reír, llorar… Pocas veces la vi haciendo algo en un instante que no fuera el indicado. Y ahí, en medio del departamento de chicas, con gente pasando en busca de vestiditos, mi mamá creó el momento preciso para darme una metáfora… y una lección de vida.

—Mira, pajarita, los abrigos son para cubrirnos del frío, para no enfermarnos y no andar todas mocosas camino a la escuela. Los príncipes no son el abrigo… —y pasó sus manos sobre los botones inservibles, sólo eran de adorno. Sus ojos se hicieron más grandes—. Los príncipes son como este botón del abrigo. No es necesario para cerrarlo, pero se ve muy lindo con él, y estoy segura de que hace una compañía maravillosa, y si se cae, lo extrañaremos, pero no lo necesitamos para que el abrigo funcione.

Me quitó el abrigo que aún llevaba puesto y buscó cerca del cuello.

—Y, mira… Siempre hay un repuesto —un botón idéntico dentro de una bolsita sellada estaba pegado a la etiqueta—. Porque tal vez el botón que está en el abrigo no estará ahí para siempre, y eso está bien, porque encontraremos el indicado algún día. No tenemos que llamar la atención de alguien en busca de él, sino abrir bien los ojos y el corazón.

A pesar de la confusión que vivió mi mente de once años, entendí lo que mamá estaba diciendo. No podía ponerlo en palabras, pero entendía que el príncipe no es el abrigo, sino el botón. Y el abrigo, soy yo.

Ese día no compramos ningún abrigo rojo, pero mamá tomó la bolsa con el botón rojo de repuesto y la puso en mis manos.

—Por si se te cae un botón cuando seas grande. Acuérdate de que el abrigo sigue funcionando, a ése nunca le falta nada, te protege del frío y te abraza muy fuerte.

Lo que sí compramos fue mucho pastel y helados del sabor favorito de cada uno de tus tíos, tu tía, tu abuelo, abuela y el mío, por supuesto.

3 de diciembre

Podría escribir un libro entero sólo de las lecciones que aprendí de tu abuela; siempre las llevé cerquita del corazón, junto con el botón rojo.

Por lecciones como esa es que te escribo. Estos meses he pensado mucho en ti, y en que a pesar de que estoy a punto de irme, tú vas a seguir creciendo y no voy a poder estar contigo para hacer, probablemente mal, un intento de lecciones como las que me dio mi madre. No sé de dónde sacó tanta sabiduría, pero me gusta creer que esas montañas de revistas tuvieron algo que ver.

¿Te gustará leer? Espero que sí. Me avergüenza un poco admitir que no he leído tanto como me gustaría. Medio culpo de eso a mamá, por ella tengo la mala costumbre de escuchar historias en vez de leerlas sola.

Cada noche, después de cenar, nos hacía hablar acerca de lo que habíamos hecho en el día; una cosa buena y una mala. Recuerdo muchos "Rauuuúl" de mis papás, seguidos de un montón de excusas. Mamá usaba el sistema de "Cuento antes de dormir" como un premio, lo relacionaba con portarnos bien y aprender algo nuevo todos los días. Siempre me preocupaba que mi hermano, por ser medio travieso, no escuchara el cuento del día.

Tu abuela tenía cuatro cronómetros, uno para cada uno de sus hijos; leíamos media hora antes de ir a dormir, y si alguien se portaba mal, le quitaba cinco minutos; si se portaba muy mal, le quitaba otros cinco.

Arrancaba la ronda de lectura y uno tras otro se iban descalificando y tenían que irse a dormir con lo que hubieran alcanzado a escuchar. Al día siguiente ella retomaba la historia donde la media hora hubiera terminado. Después de los besos de buenas noches se aparecía alguno de mis hermanos en el cuarto para preguntarle a tu tía en qué se había quedado el cuento. Ella era la mejor portada de todos nosotros y siempre escuchaba los finales.

Era un sistema que funcionó muy bien durante muchos años. A mis hermanos y a mí nos encantaban las historias, de lo que fueran: verdaderas, falsas, de fantasmas, de gente real, de un libro o directo de la imaginación de mis papás. A pesar de ser tan diferentes, los cuatro nos parecemos en eso, incluso ahora.

La segunda gran lección que aprendí de tu abuela (y también de tu tío Raúl) fue un accidente. Aunque no era su intención enseñarme algo, ya había aprendido a abrir bien los ojos.

Yo aún era joven cuando comenzaron los verdaderos problemas entre Raúl y mis papás. Nunca supe a ciencia cierta qué los causaba, pero por más chiquita que estuviera, me daba cuenta de que había discusiones constantes. Raúl es el más alto de la familia, así que cuando alzaba la voz, todos podíamos escucharlo, seguido de silencios en los que hablaban mis padres, y de nuevo más gritos de Raúl.

Cuando mi hermano cumplió veintidós años, hubo una gran discusión. Tan grande, que a partir de ese día nadie más pudo decir "no lo entienden" en casa, pues eso fue lo último que escuchamos de él antes de que azotara la puerta de la cocina, por donde salió con un bolso enorme sobre su hombro. Yo tenía quince años y, mientras hacía la tarea de física en la mesa de la cocina, lo vi pasar frente a mí con el enojo reflejado en su cara llena de sudor; supe que se iba para no volver.

Durante los primeros meses hablábamos un poco de él, nos escribía e-mails para tranquilizarnos, pero pedía que no les comentáramos nada a mis papás, cosa a la que por supuesto no hicimos caso.

A los veintitrés más o menos le pregunté a mamá sobre Raúl. Era un tema delicado. Entre mis hermanos y yo lo comentábamos todo el tiempo, le enviábamos fotos, hasta teníamos una idea de dónde estaba su casa. Pero no nos atrevíamos a mencionárselo a papá o mamá.

Quería saber cuál era el problema con Raúl, y mamá me dijo que no lo sabía. En todos los años que pasaron juntos, nunca logró entender por qué su hijo estaba enfurecido todo el tiempo, por qué no podía estar a solas con ellos un momento sin que comenzara a gritarles. Al parecer les faltó comunicación incluso para discutir.

Pasó un año y mamá enfermó terriblemente, tanto que decidimos avisarle a mi hermano. No esperábamos nada de él, sólo era importante que lo supiera. Que mi mamá se iba. Y se iba pronto.

Los cobardes de mis hermanos se negaron a decírselo, ¡incluso tu tío, que sabía dónde vivía e iba a verlo seguido!

—Contigo se lo va a tomar mejor —se excusaron.

Así que tuve que armarme de valor para decirle a mi hermano mayor, a quien no había visto en nueve años, que nuestra madre estaba a punto de morir.

Raúl sólo preguntó en qué hospital estaba y después de escuchar mi respuesta, me colgó. Tenía tanto tiempo de no verlo que me lo imaginaba con la misma carita adolescente del día en que dejó la casa. Estaba dormida en la silla al lado de la cama de mi mamá cuando me despertó un altísimo hombre con barba, brinqué del susto.

—Soy Raúl —dijo con lágrimas en los ojos, y por lo visto no se iban a detener.

Le expliqué lo que sabíamos, que no era mucho. Al parecer era un mal hereditario y todos corríamos peligro. (Eso sí lo podemos confirmar ahora, ¿no?) Lloró conmigo por una hora, mientras mamá seguía durmiendo.

—¿Por qué te fuiste? ¿Qué pasó? Mamá no sabe decirme qué pasó.

—Era todo… y… ahora que la veo ahí tirada… era nada.

En los primeros años después de su partida, volver no era opción para Raúl. Una vez que se fue de la casa, reconstruyó su vida desde cero. Tuvo los peores trabajos y los peores lugares para dormir. No se metió en problemas serios con la policía, pero estuvo cerca. Las amistades que hizo al principio no fueron las mejores, pero fue aprendiendo.

Me admitió que quería regresar a casa, volver a vernos y pedir perdón a mis papás, pero su terquedad nunca se lo permitió. Esperaba que mis padres lo buscaran, como siempre lo hicieron, pero el día que salió por la cocina, ellos aprendieron que si en algo le habían fallado a su hijo, era en darle el espacio que tanto requería.

Así que, como gran telenovela barata, cuando uno se hacía del rogar, los otros dejaron de buscarlo.

Mamá despertó con la primera risa que logré sacarle a mi hermano. Se asomó por encima de la cobija, mientras nos acercábamos a ella.

—¿Dónde estoy? —me preguntó con los ojos cristalinos.

—En el hospital, mami. Raúl vino a verte.

Miró a mi hermano y ante mis ojos pasó del shock al enojo y a la felicidad.

—Pensé que estaba en el cielo. Parece un sueño.

En segundos, mi madre y mi hermano se perdonaron todo, sin tener que decirse una sola palabra. Te sorprendería lo poco que importan las palabras cuando pasa el tiempo. La muerte nos enseñó algo vital ese día: si no es necesario extrañar, mejor no lo hagamos.

14 de diciembre

Es muy pronto para hablar en pasado, pero tuve muy poco tiempo para aprender a ser madre; apenas tienes tres años. Lo poco que sé fue gracias a tu abuela, poniendo atención a sus acciones y decisiones. Ella entendió que sus hijos eran diferentes e intentó que cada uno tuviera una educación distinta. Me encantaría que te hubiera conocido; bebé en sus brazos, riendo todo el día, durmiendo toda la noche. Algún día se conocerán, estoy segura. Yo iré a contarle todo sobre ti, en lo que tú nos alcanzas.

Cuando era pequeña, como de la edad que tienes ahora, pude jugar mucho a las muñecas. Conforme pasó el tiempo, en vez de muñecas, era tu tía Vicky. Victoria es cuatro años menor que yo, así que cuando llegó a la casa, se convirtió en la muñeca perfecta para mis cuatro vueltas al sol. Quería ayudar en todo, a peinarla, vestirla, darle de comer.

Vicky era una nena muy bien portada y, mientras crecía, era la mejor compañera de aventuras. Íbamos juntas a todas partes.

Arruinamos muchos relojes cuando éramos chicas. A las dos nos encantaba ver el interior de las cosas, y los engranes de los relojes eran preciosos. Sacábamos pieza por pieza, hasta que cada una quedaba acomodada en el suelo. Después intentábamos unirlas de nuevo, pero nunca lo logramos. Descansen en paz las docenas de relojes que destruimos. A mi papá, en vez de molestarle, le encantaba ver el montón de piezas en nuestras manos, decía que íbamos a ser ingenieras increíbles. Esa predicción le salió a medias, pero resultó lo bastante cierta como para no defraudar su intuición.

Nunca fuimos muy mentirosas, pero mis hermanos y yo nos protegíamos entre nosotros. Por ejemplo, si mamá dejaba muy claro que mantuviéramos el uniforme limpio y por accidente me manchaba de jugo, Vicky salía al rescate con un "es que yo se lo quité muy rápido porque me iba a dar un traguito, por eso se manchó". No es que pasara algo grave por una cosa así de simple, pero la complicidad entre nosotras ya existía.

Me gusta creer que nacimos siendo cómplices, era nuestra misión aprender todo lo que se pudiera de la otra. Incluso al crecer, seguimos siendo las mejores amigas, no como las demás adolescentes, que se ponen necias e insoportables. De Vicky he aprendido muchas cosas, claramente es la más inteligente de todos, y lo que más valoro es que haya roto mi burbuja.

Tengo dos nociones de la universidad: la experiencia que yo viví, bastante solitaria, y la de Vicky. Espero que para ti sea diferente, pero cuando yo estaba en la facultad, no era fácil ser mujer. La sociedad se dedicaba a ponernos las unas contra las otras.

Siempre estábamos en competencia: quién era la más guapa, o la menos; la más inteligente, la menos sensible, quién era la más *loca*... Nos construyeron un mundo donde estábamos muy distraídas peleando contra otras, hablando mal de chicas que nunca habíamos conocido, opinando sobre su vida y sus decisiones; si alguien tenía novio, si no tenía novio; si salía con diferentes chicos, si salía con chicas; si se casaba, si no se casaba; si tenía un bebé, si no quería tener hijos... Para TODO había opinión, siempre negativa y llena de prejuicios, y estas distracciones nos vendaron los ojos.

Recuerda bien, Inés, no está en nuestra naturaleza hablar mal de las demás. El resto de las chicas no son tu competencia, y así como ellas no tienen nada que demostrar, tú tampoco. Tu única competencia eres tú. Sólo tú puedes decidir quién eres.

Tristemente, crecí evitando rodearme de chicas, las únicas en mi vida eran mi mamá y Victoria. Recuerdo haber dicho en muchas ocasiones: "Es que me llevo mejor con los hombres. Es más fácil, ellos son directos y no hablan mal de sus amigos a sus espaldas". Y me sigo retorciendo al recordarlo e imaginar las amistades que desperdicié por pensar así.

Cuando Vicky entró a la universidad, pude ver una nueva era de mujeres. Sí, la sociedad seguía enfrentándolas entre sí, haciéndolas competir, diciéndoles que eran muy gordas o muy flacas, que eran fáciles o persignadas. Pero en este grupo de chicas iba mi hermana, y miles y miles como ella, que tuvieron que crecer muy rápido y estaban hartas de eso.

Aunque no siempre lo parezca, Victoria ha vivido mucho más que mis hermanos y yo. Vio cosas terribles que le enseñaron a andar por la calle con las llaves entre los dedos, por si algún hombre quiere tocarla; aprendió a declinar amablemente invitaciones a una cita, por si algún hombre se molesta y le tira un golpe; nunca abandona el vaso donde está tomando, por si alguien intenta ponerle una pastilla que la haga caer dormida. Victoria aprendió mucho y muy rápido. Aún no cumplía dieciocho y ya iba con un spray pimienta en su bolsa, lista para usarlo.

Cuando tu tía tenía dieciséis, su mejor amiga desapareció. Ningún policía ni detective pudo decirle a su familia qué había pasado, pero supieron confirmar el día en que estaban seguros de que "no iba a regresar, y tal vez sería mejor que no siguieran buscando", en palabras de los federales. Durante años, mi hermanita entró y salió de comisarías, reuniones con abogados y jueces. Vio cómo no sólo un monstruo desapareció a su amiga Dina, sino que el mismo sistema lo hizo.

Testificó en muchas ocasiones la misma historia: Dina había ido a cenar con un amigo de unos amigos, quien era varios años mayor. Después irían al cine. Ella le mandó mensajes a Vicky todo el trayecto, hasta la hora de la función.

El tipo declaró que había estado en una zona de la ciudad, mientras los mensajes entre Vicky y Dina decían que la pareja estuvo en el extremo opuesto aquella noche. Le dijo al juez que no había visto a la chica, ni esa noche ni cualquier otra.

Al parecer la conversación en mensajes de texto no era evidencia suficiente.

Durante semanas, Victoria estuvo enfurecida con el hombre, con la policía, con los jueces, abogados y detectives. Todos aquellos que participaron en el circo de injusticias. Mis papás estaban muy preocupados, no sabían si mi hermana tomaría una decisión estúpida en cualquier momento. Cada día comía menos, pasaba menos tiempo con nosotros y sus amigos. Vivía encerrada en el cuarto, conviviendo conmigo por mera necesidad. En cuanto entraba a la recámara, se acostaba y apagaba la luz para dormir. No importaba la hora. No sabíamos qué hacer ni cómo acercarnos, pero si algo habíamos aprendido de Raúl, era a dar espacio.

Habían pasado dos meses desde que se cerró el caso. Mis papás, mi hermano y yo charlábamos y cenábamos tranquilamente, mientras mi hermana permanecía en silencio. Casi al terminar la cena, Vicky habló:

—Voy a estudiar derecho.

—¡Qué bien, linda! —dijo mi papá, contento de que estuviera pensando a futuro.

—Voy a estudiar derecho porque quiero ser juez, y planeo meter a la cárcel a todo abusador, golpeador, violador y asesino.

La cocina nunca había estado tan callada. Mis padres se levantaron lentamente de sus sillas y fueron a abrazarla, mi hermano y yo nos unimos.

—Estoy muy orgullosa de ti —le dije muy bajito al oído.

Por primera vez en mucho tiempo, Victoria lloraba con una sonrisa y no con enojo.

Cuando entró a la universidad, se rodeó de amigas extraordinarias con historias fascinantes. Cada viernes llevaba a alguien a comer a la casa, chicas de todas partes del país que se habían mudado lejos de su familia para estudiar derecho como ella. También estaban hartas de las injusticias y la hipocresía que se nos enseña a tener hacia las demás. Poco a poco me fueron adoptando, aprendí muchísimo de ellas, me hicieron parte de su grupo.

Nunca se me va a olvidar un sábado en que estaban varias de esas chicas en la casa, arreglándose para salir, y me invitaron a ir con ellas. Por separado le dije a Victoria:

—Oye, si no quieres que vaya con tus amigas, no pasa nada, nomás dime y yo me quedo aquí, no me molesta.

El mundo de amistades femeninas era nuevo para mí y seguía descifrándolo. Mi hermana me respondió:

—Eres mi mejor amiga, ¿por qué no voy a querer que convivas con más mujeres fregonas como tú? Sólo nos tenemos la una a la otra.

No quiero sonar a que te doy lección tras lección de qué hacer y qué no, Inés, pero si hay algo de lo que me arrepiento, es de no haber hecho amistades. Crea lazos fuertes con otras chicas, quiérelas, no las juzgues ni hables mal de ellas. Bueno, ya sean tus amigas o no. Nos tenemos que agarrar muy fuerte de otras mujeres, amor. Tienes que aprender a apreciar a las demás y nunca juzgar sus decisiones ni sus acciones. Tal vez suena lógico, pero es más difícil de lo que parece.

No digo que todas las mujeres del mundo te deban caer bien y ser tus amigas; habrá personas, hombres y mujeres, con quienes no será así, y eso está bien, porque tendrás tu propia manera de pensar. Vas a chocar con las ideas de otras personas, eso es inevitable. Lo que quiero decirte es que no las trates como no quieres que te traten a ti. Si no quieres que hablen mal de ti a tus espaldas, aunque te sonrían a la cara, tú tampoco lo hagas.

No te preocupes. Aprenderás en el camino.

4 de enero

No me duele nada, no estoy sufriendo y no voy a sufrir. Las decisiones que hemos tomado han sido muy difíciles, no porque me preocupe lo que me pueda pasar, sino por ti. Me duele pensarte creciendo sin las charlas, piyamadas y peleas madre-hija que ya tenía planeadas para nosotras. El universo me recuerda una vez más que no le importan los planes que hagamos.

Te puedo dejar un montón de lecciones prácticas; son los sentimientos los que no te voy a poder explicar. Tendrás que aprender sola. Lo que sí puedo dejarte es el botón rojo. Este botón es mucho más importante de lo que piensas, me ha ayudado tremendamente por años. Me ha hecho entender mucho, incluso después de la muerte de tu abuela. Dentro del montón de errores que he cometido, uno fue elegir una mala compañía. No sé qué me pasó, tal vez una parte de mí seguía aferrada a ese abrigo rojo de mi infancia, y yo me convertí en el botón: inútil, pero linda. Dispensable, pero lista para cuando sea hora de usarse.

Ahora que lo pienso mejor, fue una labor muy ardua de parte suya, cambiarme tanto en tan poco tiempo. Cambiar cómo me veía, lo que decía y, lo más importante, lo que pensaba. Logró que todo se sintiera natural: por supuesto que tenía que pedirle permiso para salir a cenar con mis amigas, claro que debía avisarle si planeaba usar falda para que me dijera si podía o mejor me cambiaba, porque él sólo estaba viendo por mi bien. Me protegía. Yo estaba sola, necesitaba que me cuidaran, que me abrigaran, y él lo hacía por mí.

No tengo idea de cuándo sucedió el cambio, cuándo me transformó en alguien tan dependiente; pasé muchos meses llorando todas las noches. No hay razones concisas de por qué lloraba, pero no podía evitarlo. Era mi cuerpo gritando por mí, diciéndome que algo estaba muy mal, y se podía poner peor.

Me duele mucho pensar en esos años, todo ese tiempo desperdiciado. Tiempo que pude invertir en quererme a mí y no a alguien que no tenía interés por corresponderme. Pero era necesario, ¿no? ¿Eres de las personas que piensan así? ¿Que todas las penas que vivimos las necesitamos para entender lo que nos hace

felices? Mi mamá sí lo era, y mi papá también. Supongo que yo igual. O por lo menos tengo que serlo, si no la existencia de esta carta se vuelve mucho más oscura.

Aprende lo valiosa que es la compañía, pero nunca la idealices. Tú no necesitas a nadie más que a ti misma para ser feliz. Tú ya naciste completa. Todos estamos completos.

Es precioso poder tener a alguien a nuestro lado que nos acompañe y nos ame, a quien acompañemos y amemos de vuelta. Pero esa nunca es la meta, la felicidad no es exclusiva de estar en pareja; es el botón, tú eres el abrigo. Y lo verás a lo largo de tu vida. Conocerás a un montón de personas que mueren por casarse, porque no quieren sentirse solos, y la mayoría se compromete a una relación con quien se cruce en su camino.

Muchas veces sabemos que algo está mal en nuestras relaciones, románticas o familiares, de amistad o de trabajo, y el verdadero problema es que no sabemos cómo arreglarlo. Un problema aún mayor es cuando sentimos que no podremos arreglarlo. En situaciones como la segunda, no tenemos muchas opciones, más que agarrar valor y decir NO. No pienses que necesitas más explicación después de eso. "No" es una expresión completa. Y es la palabra más importante que debes aprender. No sólo por ti, Inés. Es importante por los demás.

Pocas son las cosas que he aprendido y confirmo fielmente, una de ellas es que a veces no tenemos voz, o nuestra voz se siente chiquitita comparada con la del resto. Y nos ahogamos en un mar de gritos sin que nadie nos escuche. En esos momentos es cuando más deseamos que pueda llegar alguien a ayudarnos, alguien que grite por nosotros y así podamos ser escuchados.

A veces sí pasa, y otras no. Así como podría llegar alguien a interceder, también podríamos quedarnos solos, gritando y gritando hasta quedar afónicos, como le pasó a Victoria con la desaparición de su amiga.

Lo importante de esto, Inés, no es esperar que llegue alguien a salvarnos, sino que no podemos permitirnos el silencio. No sólo en nuestras luchas, sino en las de los demás.

Si algo quiero que recuerdes de este mar de palabras, es que no quiero que te calles.

Quiero que grites y patalees por aquellos que no pueden hacerlo. Por los niños que no pueden ir a la escuela; por las niñas a las que obligan a casarse a los diez años; por los chicos a los que corren de sus casas por ser gays; por las chicas que no pueden vestir como quieren, por si un hombre las ve solas en la calle; por todos aquellos que son maltratados por ser diferentes… No te calles, grita por todas las mujeres que han vivido una injusticia, cualquiera que sea.

Grita por tu abuela y la injusticia de no conocerla; grita por mí y la injusticia de no verte crecer. Grita por ti, para que después de ti, nadie más. Si tú estás ahí, ante la injusticia, ésta no va a suceder.

15 de enero

No te dejo sola, sino en la mejor de las compañías. Tienes a tu papá, a tu abuelo, a tu tía y a tus dos tíos. Ellos te van a adorar y proteger por siempre, eso lo sé muy bien, porque yo fui su conejillo de Indias: me protegieron y amaron hasta el último de mis respiros, que a pesar de ser incierto cuándo llegue, será pronto.

Sé que me voy a reencontrar contigo para que me cuentes todo lo que me perdí. Y yo te contaré todo aquello de lo que me entere allá arriba. Por ahora, ya entiendo lo que mi mamá trataba de decir: el abrigo rojo eres tú.

Mi abrigo rojo eres tú, Inés.

Dos ríos

SARA FRATINI

LAS MAÑANAS ERAN LAS MISMAS PARA TODOS. DESDE CUALQUIER PUNTO DE LA CIUDAD SE ESCUCHABA EL CANTO DE LOS LOROS AL VOLAR.

CRUZABAN LA CIUDAD ANUNCIANDO EL AMANECER.

SU CANTO LLEGABA A LOS OÍDOS DE TODOS, SIN IMPORTAR DE CUÁL LADO DEL RÍO VIVIESEN.

193

ERA LA QUINTA DE SIETE HERMANOS Y DE UNA FAMILIA MUY HUMILDE. VIVÍAMOS DEL OTRO LADO DEL RÍO, EN UNA CASITA DE TECHO DE ZINC. MI MADRE TRABAJABA TODO EL DÍA, ASÍ QUE YO ME ENCARGABA DE CUIDAR A MIS HERMANOS MÁS PEQUEÑOS.

MI SUEÑO ERA ESTUDIAR, SER PROFESORA. JUGABA A ENSEÑAR A LEER A MIS HERMANOS.

EN EL BARRIO LA VIDA NO ERA FÁCIL Y TENÍA QUE ARREGLÁRMELAS PARA SALIR ADELANTE. CUANDO TENÍA ALGO DE TIEMPO LIBRE VENDÍA MANGOS EN LA CARRETERA PARA COLABORAR CON LOS GASTOS DE LA CASA.

¡MANGO!

DEJÉ LA ESCUELA A MEDIAS CUANDO UNA AMIGA DE MI MADRE ME SUGIRIÓ EMPEZAR A TRABAJAR DE SEÑORA DE LA LIMPIEZA.

•ESCUELA PÚBLICA•

ACEPTÉ PENSANDO QUE SERÍA UN TRABAJO TEMPORAL, HASTA QUE LOGRARA AHORRAR LO SUFICIENTE PARA PAGAR MIS ESTUDIOS, PERO LA VIDA ME LO PUSO UN POCO COMPLICADO.

MI PRIMER TRABAJO FUE EL MÁS DURO, PORQUE LOS DUEÑOS HABÍAN PROMETIDO PAGARME LOS ESTUDIOS SI LOGRABA DEMOSTRAR QUE PODÍA SER RÁPIDA EN LAS TAREAS.

PERO NUNCA LOGRABA TERMINAR TODO A TIEMPO, COMO HABÍA PROMETIDO, PORQUE ERA DEMASIADO. LA IDEA DE IR A LA ESCUELA SE FUE ESFUMANDO.

- DESAYUNO.
- BARRER PATIO.
- PONER LAVADORA.
- ARREGLAR HABITACIONES.
- LIMPIAR BAÑOS.
- COCINAR.
- LAVAR CORTINAS.
- PLANCHAR.

RECUERDO QUE EN MI TIEMPO LIBRE SOLÍA ENCERRARME A LEER A ESCONDIDAS LA ENCICLOPEDIA EN LA BIBLIOTECA DE LA CASA.

ME FASCINABA LA CANTIDAD DE INFORMACIÓN QUE PODÍA HABER EN UN SOLO LIBRO. SOÑABA CON SABERLO TODO, SOÑABA TANTAS COSAS.

TRABAJÉ PARA ELLOS CASI CINCO AÑOS, HASTA QUE UNO DE SUS HIJOS ME ACUSÓ DE HABERLE ROBADO DINERO.

YO NO LO HABÍA HECHO. SIEMPRE HE PENSADO QUE ME ECHÓ LA CULPA PARA ESCONDER QUE SE HABÍA GASTADO TODO EL DINERO SIN PERMISO.

YO NO HE SIDO.

AL DÍA SIGUIENTE YA NO TENÍA TRABAJO Y NO HABÍA IDO A LA ESCUELA DESDE EL PRIMER MOMENTO EN EL QUE HABÍA EMPEZADO A TRABAJAR ALLÍ.

19 AÑOS, SIN ESTUDIOS Y DEL OTRO LADO DEL RÍO. POR PRIMERA VEZ EN MI VIDA SUPE LO QUE ERA SENTIRSE COMPLETAMENTE SOLA Y SIN ESPERANZA. ¿CÓMO ERA POSIBLE QUE PERSONAS EN LAS QUE CONFIABA Y PENSABA QUE ME APRECIABAN PODÍAN DARME LA ESPALDA EN UN SEGUNDO Y CULPARME DE ALGO QUE NO HABÍA HECHO, SIN DARME LA OPORTUNIDAD DE PROBAR LO CONTRARIO?

DESPUÉS DE CAMBIAR VARIAS VECES DE TRABAJO, VOLVÍ A LIMPIAR CASAS.

EN TODAS VIVÍ EXPERIENCIAS QUE ME HICIERON SENTIR INCÓMODA.

PARA LOS GARCÍA YO ERA "ROSALBA, LA NEGRITA QUE LIMPIABA".

DILE A LA NEGRITA QUE ME PLANCHE ESTO.

EN CASA DE LOS PÉREZ TENÍA QUE DORMIR EN UNA HABITACIÓN DIMINUTA PORQUE EMPEZABA A TRABAJAR A LAS CINCO DE LA MAÑANA.

LOS ANGULO ERAN TAN DESORDENADOS QUE CADA DÍA ERA COMO EMPEZAR A LUCHAR LA MISMA BATALLA DEL DÍA ANTERIOR PARA VOLVER A PONER LA CASA EN PIE.

Y ASÍ POR TANTAS CASAS, TANTAS FAMILIAS.

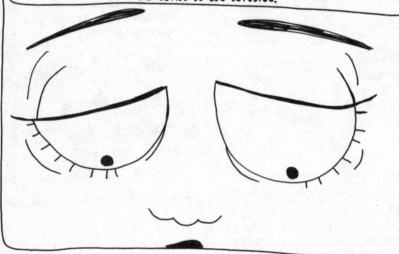

AL PRINCIPIO SEGUÍA PENSANDO QUE LIMPIAR CASAS ERA ALGO TEMPORAL PERO, MIENTRAS MÁS CRECÍA, CRECÍAN TAMBIÉN LAS DIFICULTADES. CADA VEZ VEÍA MÁS LEJANO UN FUTURO DIFERENTE AL PRESENTE QUE VIVÍA. ASÍ QUE ME RESIGNÉ Y SEGUÍ LIMPIANDO CASAS Y ME OLVIDÉ DE LOS ESTUDIOS.

EN LA ÉPOCA EN LA QUE TODO CAMBIÓ, ME DESPERTABA TODOS LOS DÍAS CON EL CANTO DE LOS LOROS.

ESA MAÑANA SENTÍA ESPERANZA, POR PRIMERA VEZ EN MUCHO TIEMPO, PORQUE EMPEZABA UN NUEVO TRABAJO.

NO ERA FÁCIL ENCONTRAR OPORTUNIDADES DE MI LADO DEL RÍO, TODO COSTABA MÁS ESFUERZO, MÁS ENERGÍA.

PARA PODER LLEGAR AL OTRO LADO DE LA CIUDAD TENÍA QUE TOMAR VARIOS MEDIOS,

LUEGO CAMINAR BAJO EL PICANTE SOL TROPICAL. NADA EN ESA TIERRA SE CONSEGUÍA SIN SUDOR.

ME PREGUNTABA MUCHAS VECES SI LA VIDA ME REGALARÍA MOMENTOS MENOS COMPLICADOS,

SI ALGUNA VEZ PODRÍA REALIZAR MIS SUEÑOS, AUNQUE POCO LOS RECORDABA YA.

¡BUENOS DÍAS!

CUANDO ERA MÁS JOVEN TENÍA LA FUERZA DE CARGAR CON TODO PESO Y SEGUIR CAMINANDO,

AHORA TOLERO MENOS LAS INJUSTICIAS Y QUE NO SE VALORE LO QUE HAGO.

NUNCA ENTENDERÉ A LAS PERSONAS QUE PIENSAN QUE PUEDEN TRATAR A OTRAS COMO LES DA LA GANA.

ME LO PREGUNTÉ VARIAS VECES ESA MAÑANA, MIENTRAS ARREGLABA LA CASA DE LOS RODRÍGUEZ.

ERA MI PRIMER DÍA ALLÍ PERO SENTÍA QUE YA SABÍA LO QUE ME ESPERABA.

SEGUÍ ADELANTE CON MIS TAREAS, DANDO SIEMPRE LO MEJOR DE MÍ.

YA HABÍA TERMINADO DE COCINAR.

ESTABA UN POCO NERVIOSA PORQUE NO SABÍA SI LES GUSTARÍA LO QUE HABÍA PREPARADO PARA ELLOS.

CUANDO TODOS SE HABÍAN SENTADO A LA MESA, ME QUEDÉ ALERTA POR SI NECESITABAN ALGO.

LOS NIÑOS TARDARON POCO EN QUEJARSE DE LOS VEGETALES. SOLO EL QUE NO HA CONOCIDO EL HAMBRE PUEDE QUEJARSE DE LA COMIDA.

¡ASCO!

ESPERÉ A QUE TERMINARAN DE COMER PARA RECOGER LA MESA.

YO PODÍA COMER LO QUE SOBRASE, PERO ESE DÍA NO TENÍA HAMBRE.

LA SEÑORA DE LA CASA SE ACERCÓ PARA DECIRME LO QUE TENÍA QUE COCINAR AL DÍA SIGUIENTE.

Y ADEMÁS PARA SEÑALARME EN DÓNDE SE ENCONTRABAN LOS PLATOS Y CUBIERTOS QUE PODÍA USAR.

SEÑALÓ CON SUS UÑAS FALSAS DEBAJO DEL FREGADERO.

YO CONTESTÉ QUE ENTENDÍA POR INERCIA, AUNQUE ME PARECÍA QUE ESTABA EQUIVOCADA, MIS PLATOS NO PODÍAN ESTAR ALLÍ.

SÍ, SEÑORA

APENAS SE FUE, ABRÍ LA PUERTA PARA COMPROBAR QUE LA EQUIVOCADA ERA YO.

EN EL COMPARTIMIENTO HABÍA UN VASO, VARIOS PLATOS Y CUBIERTOS APILADOS ENTRE LA COMIDA DEL PERRO Y LA BASURA.

PERRIFOOD

TITI

UNA AGITACIÓN REPENTINA INVADIÓ MI CUERPO.

SOLO UNAS HORAS ANTES LE HABÍA DADO DE COMER AL PERRO,

ESE PERRO DIMINUTO QUE SE PASEABA POR EL JARDÍN CAZANDO RATAS,

Y QUE CUANDO ESTABA DENTRO DE CASA PASABA HORAS RASCÁNDOSE.

LAMIÉNDOSE LAS PATAS,

Y COMIENDO LA CACA DEL GATO CUANDO NADIE LO ESTABA VIGILANDO.

LOS PLATOS QUE PODÍA USAR ESTABAN ALLÍ, AL LADO DEL PLATO Y LA COMIDA DE ESE PERRO.

TODAVÍA TENÍA RESTOS DE COMIDA.

PERRIFOOD

TITI

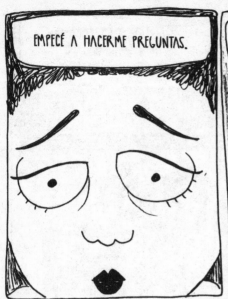

EMPECÉ A HACERME PREGUNTAS.

¿ACASO LES DABA ASCO?

¿POR QUÉ NO PODÍA USAR LOS MISMOS PLATOS QUE ELLOS?

¿POR QUÉ GUARDABAN MIS PLATOS AL LADO DE LA BASURA?

UNA MAREA DE SENTIMIENTOS SE INSTALABA EN MI PECHO.

RABIA, IMPOTENCIA, TRISTEZA, CANSANCIO.

ODIABA QUE ALGUIEN ME HICIESE SENTIR MENOS.

¿POR QUÉ LES DABA ASCO? ¿POR QUÉ?

¿POR MI PELO?
¿POR MI CARA?

¿POR MIS MANOS?

HACÍA UNAS POCAS HORAS
HABÍA COCINADO CON MIS
PROPIAS MANOS PARA ELLOS.

HABÍA CORTADO LA CEBOLLA
Y LA ENSALADA,

HABÍA RALLADO EL PAPELÓN Y EXPRIMIDO LOS LIMONES,

HABÍA CORTADO EL POLLO Y PELADO LAS PAPAS.

TODO LO HABÍA HECHO CON MIS MANOS, TODO.

INCLUSO HABÍA ARREGLADO SUS CAMAS Y RECOGIDO SU ROPA SUCIA.

¿QUÉ TENÍAN MIS MANOS DE DISTINTAS?

YO LAS VEÍA IGUALES: CINCO DEDOS,

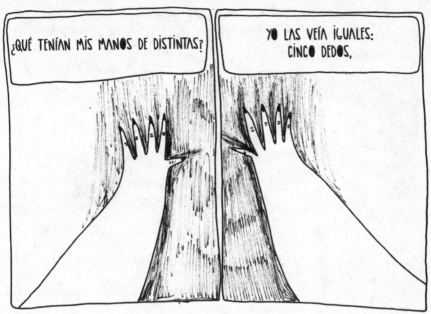

ÁGILES A LA HORA DE TRABAJAR,

LIMPIAS.

LAS LÁGRIMAS SEGUÍAN INVADIENDO MI ROSTRO.

DECIDÍ ARMARME DE FUERZAS, LAVARME LA CARA Y SALIR A LA COCINA.

NO ERA LA PRIMERA VEZ QUE ME TOPABA CON UNA SITUACIÓN PARECIDA.

ALGUNAS PERSONAS PIENSAN QUE SON MÁS QUE TÚ,

PIENSAN QUE SU ESTATUS SOCIAL LES PERMITE TRATAR A LOS DEMÁS CON SUPERIORIDAD,

¡ROSALBA!

QUE PUEDEN VERTE DESDE ARRIBA Y QUE LES PERTENECES,

QUE TIENES QUE ADAPTARTE A TODO LO QUE DIGAN,

Y, ADEMÁS, TENER UNA ACTITUD PASIVA ANTE ELLOS.

SÍ, SEÑORA.

PERO ESTA VEZ NO PENSABA AGUANTAR INSULTOS, TENÍA QUE SER JUSTA CONMIGO MISMA.

SI LES DABA TANTO ASCO COMO PARA GUARDAR MIS PLATOS AL LADO DE LA BASURA,

ENTONCES TENDRÍAN QUE SENTIR ASCO POR COMER MI COMIDA.

LIMPIÉ TODO COMO SI NADA HUBIESE PASADO.

DEJÉ LA CASA IMPECABLE.

CUANDO LA SEÑORA DESPERTÓ DE SU SIESTA, ME ACERQUÉ A ELLA PARA QUEJARME.

SEÑO...

PERO UN MIEDO EXTRAÑO ME INVADIÓ POR DENTRO Y NO LOGRÉ HABLARLE.

ELLA ME RECORDÓ LO QUE TENÍA QUE HACER AL DÍA SIGUIENTE.

LA ESCUCHÉ... EN REALIDAD NO LA ESCUCHÉ PORQUE EN MI CABEZA REPETÍA EL DISCURSO QUE NO ME ATREVÍA A PRONUNCIAR,

SEÑORA RODRÍGUEZ... NO PUEDE USTED TRATARME DE ESTE MODO.

JABÓN Y LIMPIA EL PATIO. LAVAR LA ROPA. DARÍA AL PERRO

HASTA QUE ALGO DENTRO DE MÍ SALTÓ Y EMPECÉ A ESCUPIR PALABRAS.

SEÑORA RODRÍGUEZ, LAMENTO MUCHO QUE USTED PIENSE QUE SOY MENOS POR VIVIR DEL OTRO LADO DEL RÍO.

SOY UNA PERSONA NORMAL, COMO CUALQUIER OTRA, Y LA ÚNICA DIFERENCIA ENTRE NOSOTRAS DOS ES QUE USTED LO TIENE TODO Y YO TENGO QUE TRABAJAR DURO PARA VIVIR CADA DÍA.

SI LE DOY TANTO ASCO Y PIENSA QUE MIS PLATOS TIENEN QUE GUARDARSE ENTRE LAS COSAS DEL PERRO Y LA BASURA,

PUES ENTONCES NO TARDARÁ EN TENER INDIGESTIÓN, PORQUE LA COMIDA LA HE HECHO CON MIS PROPIAS MANOS.

ADEMÁS, EN SU CASA HAY PARTE DE MI SUDOR PORQUE HE ESTADO LIMPIANDO SU DESASTRE TODO EL DÍA.

ASÍ QUE TENDRÍA QUE COGER TODA LA CASA Y METERLA EN LA PAPELERA.

QUE YO TENGA MENOS QUE USTED
NO ME HACE INFERIOR.

LA PRÓXIMA VEZ QUE TENGA
PERSONAL DE SERVICIO, ASEGÚRESE DE
TRATARLOS CON DIGNIDAD.

Y SI TANTO ASCO LE DAMOS
LOS QUE NO TENEMOS TODO
LO QUE USTED TIENE,

CONSTRÚYASE UNA BURBUJA
Y ENCIÉRRESE EN ELLA.

YO ME VOY DE ESTA CASA, NO VAYA A DESATARSE UNA EPIDEMIA

Y LA TENGAN QUE ENCERRAR EN CUARENTENA.

YA ME ENCARGARÉ DE DECIRLE A TODOS QUE EN SU CASA DAMOS ASCO LOS QUE TRABAJAMOS DURO.

LA SEÑORA RODRÍGUEZ ME MIRABA COMO SI FUESE UN EXTRATERRESTRE.

ME DI LA VUELTA Y ME FUI A RECOGER MIS COSAS.

DE PRONTO, SENTÍ UNA ESPERANZA,

ME SENTÍ LIGERA,

LIBRE.

MIENTRAS ME PREPARABA PARA SALIR, UNA SONRISA SE DIBUJÓ EN MI ROSTRO.

AL FIN HABÍA DICHO LO QUE PENSABA,

NO ME HABÍA QUEDADO CALLADA POR MIEDO A PERDER EL TRABAJO, COMO HABÍA HECHO MUCHAS VECES.

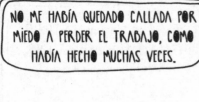

NINGÚN TRABAJO ES DIGNO DE ANGUSTIA Y HUMILLACIÓN.

HABERLE RESPONDIDO A LA SEÑORA SIGNIFICABA UN LOGRO PARA MÍ.

AL RESPONDERLE A ELLA LE RESPONDÍA A TODAS LAS PERSONAS QUE ALGUNA VEZ ME HABÍAN TRATADO IGUAL.

¡BASTA!

ME PROMETÍ EN SILENCIO NO AGUANTAR HUMILLACIONES NUNCA MÁS.

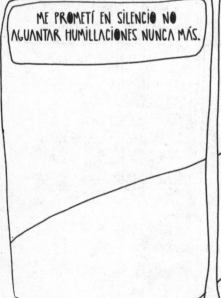

PORQUE LO QUE GANABA CON EL TRABAJO ME DABA PARA VIVIR,

50 Bs

REPÚBLICA DE VENEZUELA

PERO LO PERDÍA EN SALUD POR LA ANGUSTIA Y TRISTEZA QUE ME CAUSABAN LAS INJUSTICIAS.

EL VALOR DE UNA PERSONA NO SE MIDE POR LAS COSAS QUE TENGA, NI POR LA ROPA QUE USE,

NI POR EL LUGAR EN DONDE VIVA.

TODOS NOS MERECEMOS EL MISMO RESPETO.

MIENTRAS CAMINABA, PENSABA EN QUE TENÍA QUE VOLVER A BUSCAR TRABAJO, PERO POR PRIMERA VEZ DESPUÉS DE UNA DESILUSIÓN ME SENTÍA CON FUERZAS,

PORQUE AUNQUE MIS MANOS ESTUVIESEN VACÍAS Y NO PUDIESE PAGAR LA RENTA DEL PRÓXIMO MES, ME SENTÍA RICA POR DENTRO.

CUANDO TE SIENTES PLENA POR DENTRO, LAS FUERZAS PARA SALIR ADELANTE SE ENCUENTRAN TARDE O TEMPRANO.

MIENTRAS TANTO, PARA LOS LOROS QUE AL ATARDECER VUELVEN A SUS RAMAS NO EXISTEN FRONTERAS, COMPARTEN EL CIELO Y ALEGRAN CON SU CANTO A AMBAS PARTES DEL RÍO.

ÍNDICE

No te Calles de Andrea Compton, Chris Pueyo, Javier Ruescas,
Benito Taibo, Fa Orozco, Sara Fratini.

se terminó de imprimir en junio de 2018
en los talleres de
Litográfica Ingramex, S.A. de C.V.
Centeno 162-1, Col. Granjas Esmeralda, C.P. 09810,
Ciudad de México.